내 병은 내가 고친다.

# 머 리 말

어려서부터 쑥 냄새를 맡으며 생활처럼 익숙해진 쑥뜸과 더불어 지내온 지도 수십여 년이 지나고 있다. 많은 사람들을 만나고 그들의 고통을 함께 겪으면서 느끼는 것은 인간은 질병을 피해갈 수 없다는 것이다. 부처님도 질병의 고통에서 벗어나지 못하는 중생을 생각하며 출가를 했다는 이야기가 있다.

생로병사에서 나고 늙고 죽는 것이야 우리 뜻에서 벗어난 숙명이지만 질병은 우리의 노력으로 극복하고 덜어낼 수 있다는 신념을 갖게 된 것은 쑥뜸을 하면서 부터이다.

물론 기존의 양방이나 한방, 대체의학에서도 많은 발전을 통해 인간의 삶의 질 향상에 도움을 주었다. 하지만 한계가 있는 것도 현실이다. 그리하여 치료에 부족한 부분을 채울 수 있는 방법이 있다면 질병의 고통에서 벗어나지 못하는 환자들에게는 마땅히 희망이 될 수 있는 것이다.

고마쑥뜸은 최재충 박사에 의해 이론적 근거와 임상을 통해 정립된 쑥뜸요법으로 이를 최재충 박사는 '제3의 의학'이라고 명명하였다. 1973년도에 '새로운 뜸요법'을 출간하였고 그 후 '인체구조론', '흔의학총론'이라는 제목의 논문으로 완성해 놓았으나 널리 알려지지 않고 도서관에 묵혀있음을 안타까워하며 마음에 늘 짐처럼 갖고 있었다. 그러다 용기를 내어 부족한 지식과 경험일지라도 자그마한 도움이 되기를 바라면서 최대한 쉬운 내용으로 고마쑥뜸을 해설하여 책자로 발간하게 되었다.

본 책자에서는 체질분석에 의한 질병치료보다는 증상치료에 초점을 맞추어 집필되었다. 일반인이 전문적 지식을 갖고 자신의 질병을 치료하기에는 현실성이 떨어지기 때문에 누구나 쉽게 자신의 질병을 치료하는 수단으로써 이 책이 쓰이길 바라기 때문이다.

고마쑥뜸은 부작용이 없고 누구나 간단히 배우고 익히면 능히 자신의 질병을 치료하는 도구로 사용될 수 있다.

본 책의 내용은 최재충 박사의 이론과 임상결과를 인용, 발췌를 통하여 해설서 형식으로 만들어졌음을 밝혀두고자 한다. 아무쪼록 최재충 박사의 뜻이 질병의 고통에서 벗어나지 못하는 이들에게 조금이라도 전달되어 새로운 희망이 되기를 간절히 바라는 마음이다.


2024년 2월 최비오

# 차 례

머리말

1장. 고마쑥뜸

2장. 쑥뜸 부위 선정

3장. 체질에 따른 질병 발생

4장. 쑥뜸하기

5장. 질병별 쑥뜸 부위

맺음말

1장 고마쑥뜸

1) 고마쑥뜸 소개

고마쑥뜸은 최재충 박사에 의해 창안된 쑥뜸법이다. 쑥뜸의 새로운 방법이며 새로운 이론에 의한 민간요법이다. 이 요법은 수십 년의 임상과 30체질, 36생리구조로 된 인간의 체질을 바탕으로 만들어졌다.

인간을 바라보는 시각은 다양하다. 대표적으로 현대의학에서는 물질적, 미시적 관점으로 바라보는 반면 동양의학에서는 음·양의 이원론적 관점으로 바라본다.

그러나 고마쑥뜸에서는 인간을 세 가지 측면으로 바라본다. 그것은 육체(생리), 정신(감정), 이성(지혜)이다. 이 셋은 분리하여 존재할 수 없으며 동시성을 갖는 삼위일체의 구조로 되어있다. 이 셋은 서로 유기적 관계를 가지며 서로가 서로를 지배하는 구조로 되어 서로에게 영향을 준다. 질병은 이 셋의 균형과 조화가 깨졌을 때 발생하는 것이다.

인간은 자연을 떠나 살 수 없으며, 자연은 우주를 벗어나 존재할 수 없다. 자연과 우주는 운동하고 있으며 이 운동은 곧 시간이다(대통일 원리 참조). 그러므로 인간은 시간을 벗어나서 존재할 수 없고 이 시간은 인체에 있어서 태어남과 병듦과 죽음의 어느 한 시점이기도 하다. 심장이 뛰고 있는 것은 시간의 흐름이고 운동이며 심장이 멈추는 것은 한 개인의 시간이 정지되고 운동이 멈추는 것이다. 개인의 시간이 정지하였다는 것은 나의 몸과 마음과 영혼이 분리되었다는 것을 뜻하며 우리는 이것을 죽음이라 한다. 태어난 시간은 체질을 규정하고 맥박은 운동 상태 즉, 현재의 건강 상태를 알 수 있는 척도가 되는 것이다.

인간은 식물, 동물과는 차원이 다른 존재이다. 식물은 물질(생리), 동물은 물질(생리)과 감정이 있을 뿐이지만 인간에게는 이성(지혜)이 존재한다. 그렇기 때문에 삼위일체적 구조를 가진 인간에게서 더 복잡한 질병이 발생하는 것이다.

인간의 삼위일체적 구조와 시간에 따른 체질, 맥박에 의한 건강 상태를 이해할 때 질병의 원인을 알 수 있고 적절한 치료방법을 찾아 실행한다면 온전히 질병에서 벗어날 수 있다.

고마쑥뜸에서는 인간을 구조적 존재로 보고 시간(시간 기준표, 연치)을 적용하여 체질을 구분하고 진단하며 쑥뜸을 통하여 병을 치료한다.


## 2) 체질이란

체질이란 사람마다 갖는 각기 다른 고유의 생리적 특성이라 본다. 체질은 정신과 육체를 포함하며 계절과 기온에 반응하고 음식의 섭취에 따른 대사 작용에 영향을 준다. 체질은 혈액, 혈관, 임파, 신경, 내분비 등 모든 생리작용에 관여한다. 체질은 발병의 원인이자 치병의 조건이기도 하다.

그러므로 체질을 안다는 것은 질병을 완치하고 재발을 방지할 수 있는 원인을 아는 것이다. 인간의 생리 구조는 모두 똑같지만 사람의 정체성이 서로 다른 것은 체질에 기인한다. 생활방식이 같은 사람이어도 누구는 당뇨에 걸리고 누구는 당뇨에 걸리지 않는 경우도 체질이 다르기 때문이다.

수십 년을 매일같이 담배를 피워도 폐암이 발생하지 않는 사람이 있는가 하면 담배를 전혀 하지 않아도 폐암이 발생하는 경우는 우리 주위에서 쉽게 접할 수 있다. 또 같은 위암 3기인 사람이 같은 병원 치료를 받아도 어떤 사람은 완치를 하는가 하면 어떤 사람은 재발하고 죽음을 맞이하는 경우도 있다. 이는 모두 체질이 다르기 때문이다.

체질을 구성하는 요소는 첫째, 시간적인 요인. 둘째, 유전적인 요인. 셋째, 환경적인 요인으로 구분할 수 있다.

첫째, 시간적인 요인이란 태어난 년, 월, 일을 말한다. 태어난 시간은 우주와 자연이 운동하는 어느 한 시점이며 어느 한 시점은 그때의 계절, 즉 기상 조건이며 온도이다. 이러한 자연 안에서의 한 시점은 각기 다른 생체리듬을 갖게 되는 원인이 된다. 동양철학에서 태어난 시의 사주는 한 개인의 운명을 가늠하기도 한다. 자연 안의 모든 동식물도 각 계절의 온도에 밀접한 영향을 받게 마련이다. 양서류의 알은 부화시 온도에 따라 암컷과 수컷이 정해진다는 이야기도 있다.

둘째, 유전적인 요인이란 부모의 정자와 난자가 수정되어 생명체가 탄생하게 되는데, 정자와 난자가 수정이 되면서 지능, 성격, 정신 등 뇌의 생리구조가 정해진다. 이는 개인의 정체성과 밀접한 관계를 맺으며 심리, 행위, 행동으로 나타난다. 또한 신장, 왜소인, 비만인, 피부의 상태 등 외형적 모습까지도 결정되는 것이다.

셋째, 환경적인 요인이란 임신 중 태아의 환경요인과 태어난 지역의 지질과 기후의 환경을 말한다. 임신 환경은 태아에 미치는 엄마의 심리상태, 음식 등이 있고 지질과 기후의 환경은 지역에 따라 온도, 습도, 고도 등의 환경이 미치는 영향을 말한다. 산악지역, 해안가, 평야, 추운 곳, 더운 곳은 그 지역에서 나는 식재료가 다르며 이 식재료로 만든 음식의 섭취는 체질의 구성을 이루는 중요한 요소이다.

3) 발병의 원인

선천적인 기능부전으로 인한 장애를 제외하고 나이가 들면서 생기는 정신적, 체질적, 환경적, 음식 섭취 등의 원인으로 인한 몸의 불균형은 어느 시점에서 발병하고 증상으로 나타나게 된다. 이중 정신적인 요인은 발병 요인 중 가장 중요한 역할을 한다. 현대를 살아가면서 정신적 스트레스는 체질에 따라 다양한 증상으로 발병한다. 즉 정신적 스트레스는 암,

뇌혈관 질환, 심혈관 질환, 공황장애, 부정맥, 신경성 염증 질환 등 다양한 형태로 나타난다.

정신은 체질구조에서 파생된 본능적 요소이다. 정신은 살아가면서 갖게 되는 관념과 타고난 성격으로 구분되며 관념은 사건 사고에서 각인된 의식적 관념과 지식으로 습득된 지식적 관념으로 나눌 수 있다. 이는 뇌리에 깊이 각인되어 잘 바뀌지 않는다. 사상적, 가치관적 형태의 관념은 쉽게 바뀌는 것이 아니다. 성격은 각 개인의 고유의 특성으로 개인 간 성격의 갈등은 정신적 문제를 일으키는 요인이다. 이러한 정신은 심리의 형태로 나타나고 심리적 갈등은 질병을 일으키는 원인이다.

음식과 질병과의 연관성은 너무도 잘 알려져 있다. 음식은 대사 작용을 통하여 우리 몸에 흡수되어 에너지원으로 쓰이는데 잘못된 음식은 혈액과 호르몬에 영향을 주고 이는 체질과 연결되어 질병으로 나타난다. 특이체질을 제외하고 가장 문제가 되는 것은 인공감미료와 질 낮은 식재료에 있다. 이는 우리 뇌의 호르몬 분비의 혼란이 생기면서 많은 부작용을 낳고 있다. 이것은 20대에 암에 걸리거나 감정조절, 아토피, 시력저하, 뇌질환 등 수많은 부작용과 질병에 시달리는 원인이 된다. 사망 원인 중 일 순위인 암은 정신적 스트레스, 식습관과 밀접한 관계를 갖고 있다.

마지막으로 환경적인 요인이다. 환경적 요인은 성장과정의 환경과 생활환경이다. 아무리 폐기능이 좋다 하여도 갱도에서 석탄가루를 맡고 생활하는 광부의 폐가 그렇지 않은 사람보다 좋을 리 만무하다. 안 좋은 환경에 지속적으로 노출된다면 건강에 무리가 올 수 있다. 뉴스에서도 심심치 않게 나오는 산업현장에서의 직업병뿐만 아니라 대기공해, 의식주에서 오는 생활공해 등은 발병과 무관하지 않다.

위에서 열거한 여러 요인은 질병을 일으키는 요인이며 이러한 요인은 진통, 발열, 오한, 염증, 종양, 조직 파괴, 기능이상, 기능 장애 등으로 나타난다. 고마쑥뜸은 이렇게 나타나는 질병의 요인에 대응하여 작용한다. 대표적 작용은 진통 작용, 해열 작용, 배설 작용, 진정·강심 작용, 제염 작용, 순환 작용, 살균 작용, 촉진 작용, 촉진억제 작용, 실조 부활 작용, 혈액 생산, 임파 생산, 신경 이완 및 신경 억제 작용이다. 이 모든 작용이 쑥뜸을 통하여 가능하다.


4) 자연 치유

우리 인체는 질병을 약물이나 주사, 수술로 치료하기 이전에, 우리 몸 스스로 치유할 수 있는 잠재적 능력이 있다. 질병은 육체로 오지만 육체는 심리적, 이성적 지배를 받기 때문에 육체의 질병만으로 보고 접근한다면 온전한 생리의 건강을 되찾기 힘들다. 현대 의학에서 질병을 치료하는 미시 생리적 접근 방법으로는 진정한 의미에서의 건강을 되찾기는 힘들다. 질병의 치유는 내적으로부터 스스로 치료하는 방법을 찾지 않으면 안 되는 것이다. 이것을 자연치유력이라 한다.

  우리 몸 스스로 질병을 이겨내기 위해서는 육체의 질병으로만 볼 것이 아니라 육체의 질병과 더불어 심리적 요인, 이성적 요인도 함께 고려해야 되는 것이다. 육체와 심리, 이성은 서로를 지배하고 서로에게 영향을 준다. 이것을 연결해 주는 것이 혈액과 내분비이다. 우리 몸에 조그만 암 덩어리 하나만 있어도 우리 몸의 컨디션은 나락으로 떨어진다. 종양 하나가 온몸을 지배하고 있는 것이다.

  어제까지 잘 지내다가 오늘 암 선고를 받은 사람들은 그날로 급격하게 몸이 쇠약해지고 환자가 된다. 심리적 정신적 충격이 온몸을 지배하는 것이다. 급격한 심리적, 정신적 변화는 뇌 호르몬의 조절에 문제가 생기고 이는 다시 온몸에 영향을 미친다. 심리나 정신은 호르몬, 혈액과 밀접한 관계를 갖는다. 치병도 이와 같이 혈액과 호르몬의 역할을 극대화시켜야 되고 이는 곧 자연치유력을 높인다는 말이다.

  우리의 몸에 문제가 생겼을 때 뇌는 신호를 보낸다. 통증, 발열, 대사 이상 등으로 우리가 자각할 수 있는 상태로 알려준다. 이것은 어느 한 부분의 기능 저하에 대한 문제로 국한시키기 보다는 전체적인 면역력과 저항력의 저하로 보고 접근해야 된다. 당장 증상의 완화가 우선적이지만 좀 더 근본적인 문제로 다루지 않으면 재발 또는 기능장애, 합병으로 이어질 수 있다. 이런 근본적인 문제의 해답은 바로 자연치유력을 높이는 것이고 자연치유력은 질병을 이기는 최선이자

최고의 방법이다.

임상적으로 경험한 예를 들어보면 암환자의 통증을 암 발생부위와 상관없이 적절한 부위를 찾아 쑥뜸을 하였을 때 통증이 완화되었다. 암 통증은 국소 통증이라기보다 전신 통증에 가깝다. 이는 뇌 호르몬의 분비를 어떻게 유도할 것인가를 보여주는 임상적인 예로써 진통제는 부작용이 많지만 쑥뜸은 부작용이 없고, 하루에 필요한 쑥뜸 횟수도 제한이 없다. 이것이 진통제보다 더 우위에 있는 내적 치유라는 것이다. 또 한 예를 들자면 흔히 발목을 삐었을 때 발목이 부어오르고 열이 발생한다. 이때 보통 온찜질은 오히려 상태를 악화시킨다 하여 냉찜질을 한다. 하지만 쑥뜸을 하게 되면 급속도로 제염이 되면서 통증이 사라진다. 이 또한 우리 몸의 자연치유력을 높이는 치료법인 것이다.


## 5) 피부의 역할

우리 몸의 질병치료의 방법으로, 양방에서는 수술이나 주사, 투약을 하고, 한방에서는 침, 뜸, 그리고 한약의 처방이 대표적이다. 질병치료는 수술을 제외하면 구강을 통하거나 피부를 통하여 치료하는 것이 대부분이라는 뜻이다. 쑥뜸도 피부를 통하여 치료하는 요법이다.

그렇다면 피부는 어떤 역할을 하는가? 최재충 박사는 "피부란 뇌의 표출이며 외연 된 뇌기능의 작용"이라 하였다. 이는 단순히 해부학적 의미의 인체기관을 넘어서는 포괄적 의미를 담고 있다는 의미이다. 한 인간의 지난 과거의 삶의 궤적, 사상, 감정까지도 안면 피부에 의해 표출되는 것이다. 안색을 살피며 질병을 예단하기도 하고, 혈색으로 건강함을 알수 있는 것도 피부이다.

해부학적으로 피부의 피하조직 속에는 내분비선, 임파선, 신경, 혈액, 동·정맥혈관과 세포와 조직이 있다. 이러한 피부의 구조는 쑥뜸을 함으로써 피부 속 신경은 이완되어 혈관이 확장되고, 혈액순환은 원활해지며, 이로 인해 산소공급이 잘되고 세포생성이 활발하게 되어 면역기능을 높일 수 있다.

쑥뜸 요법은 침열 요법이다, 침열은 피부를 통하여 크게 두 가지 작용을 하는데 그것은 강한 열로 인한 뇌 자극 작용과 피하조직 깊숙이 침투하는 침열 작용으로 나뉜다. 이러한 두 가지 작용은 다양한 질병에 복합적으로 작용한다.

뇌의 구조적 이상이 아닌 경우를 제외하고는 특정 부위에 강한 열 자극을 통하여 뇌를 깨우는 역할을 한다. 뇌를 깨운다는 것은 뇌 중추신경을 자극하여 제 기능을 못하는 뇌를 제 기능을 하게끔 도와주는 것이다. 즉, 내분비, 뇌신경, 뇌혈관 등의 이상을 조절할 수 있다. 그것은 스트레스로 인한 정신적 문제, 과민성 질병, 신경물질 조절 이상 등의 질병을 투약 없이 쑥뜸만으로도 효과를 볼 수 있다는 것이다.

우리 몸에 이상이 있을 때 통증이나 발열로써 뇌가 몸을 살리라는 신호를 보내는 것이라면 쑥뜸은 반대로 쑥열과 뜨거움을 참는 과정에서 뇌로 자연치유력을 높이라는 신호를 보내는 것이다.

쑥뜸을 하다 보면 안 좋은 부분이 유난히 더 뜨겁게 느껴진다. 뜨겁게 느껴지는 피부 부위가 우리 몸의 어떤 부분과 연결되어 있는지를 알면, 미처 자각하지 못하는 부분까지도 질병의 유무를 판단하는 진단이 가능하다. 예를 들어 뇌신경과 관계가 있는 양 어깨를 쑥뜸 할 때 다른 부위에 비해 유난히 더 뜨겁다고 느껴진다면 뇌신경과 관계가 있는 질병을 추정할 수 있다. 즉 잠을 잘 못 잤는지, 스트레스를 많이 받고 있는지 추정할 수 있고 더 나아가 뇌질환이 있는지를 알 수 있는 기본 진단이 되는 것이다.

질병명에 '○○염'이라는 병명은 염증성 질병인데 이러한 질병은 대개 통증과 발열이 동반된다. 이러한 질병은 환부에 반복적, 집중적으로 쑥뜸을 하여 피부 깊숙이 침열을 시키면 침열을 하는 정도에 비례하여 제염이 된다.

급체처럼 위신경이 갑자기 위축이 되면서 위혈액이 제대로 순환을 못하는 경우도 집중적, 반복적 쑥뜸을 하게 되면 신경이 이완되면서 혈액이 돌아 위가 제 기능을 할 수 있게 된다.

이렇듯 쑥뜸은 이 두 가지 역할을 이용하고 적절한 부위를 선정하여 침열을 함으로써 질병을 치료하는 원리인 것이다.

6) 어떻게 치료할 것인가?

　현대의학에서 질병치료의 수단은 질병의 결과물을 수술로 제거하거나 약으로 생리작용을 조절하는데 초점이 맞춰졌다고 본다. 다시 말해 발병 부위의 종양이나 염증을 수술로써 제거하거나, 항생제를 투여하여 염증 부위를 가라앉히고, 고혈압이나 당뇨병 등은 조절을 하거나 억제를 통하여 완치나 근치가 안 되는 약 처방으로 질병을 치료한다.

　하지만 우리 몸의 모든 장기와 기관은 서로 유기적으로 연결되어 있기 때문에 종합적 치유방법으로 접근해야만 근치나 완치를 할 수 있다. 병의 원인을 알고 적절한 치료법을 찾는 것은 질병 치료에 있어서 가장 중요한 요소이다. 그렇지 않으면 재발이라는 불안을 늘 안고 살아야 하는 것이 환자들의 고충인 것이다. 하지만 고마쑥뜸은 단지 피부를 통하여 인간에게 잠재된 치유능력을 끌어낼 뿐만 아니라 근치와 완치를 가능하게 한다.

　현대인에게 흔한 질병인 불면증은 뇌가 각성상태에서 수면상태로 바뀌지 않는 것이다. 다양한 원인이 있지만 뇌신경이 이완되지 못함으로써 각성상태가 지속되는 것인데 불면증이 발생하면 보통 수면제를 처방하게 된다. 하지만 이것으로는 근본 원인을 해결하지 못하고 장복으로 인한 내성은 또 다른 고통이 될 수 있다. 근본적인 치료행위를 하지 않으면 안 되는 것이다.

질병별 쑥뜸부위란에 설명한 불면증 치료 부위의 쑥뜸만으로도 뇌신경을 이완시키고 뇌혈관 순환을 원활히 하여 수면유도 호르몬인 멜라토닌 분비가 정상화되면서 수면을 가능하게끔 한다. 체질과 병의 경중, 연령 등에 따라 치료기간은 달라질 수 있으나 꾸준히 함으로써 질병에서 벗어날 수 있다.

질병 치료는 완치나 근치를 목적으로 하여야 한다. 근본치료가 되지 않는 약을 오래 장복하는 것은 반드시 부작용을 얻게 마련이다. 완치나 근치가 되지 않는 약은 오랫동안 먹어서는 안 된다는 것을 알고 반드시 근본 원인을 없애는 노력을 해야 한다. 병은 나뭇가지와 같아서 오래 방치하면 가지를 뻗어 새로운 질병을 낳게 마련이다. 내 몸의 자연치유력을 깨워 살려내는 노력이야말로 질병에서 온전히 벗어날 수 있는 것임을 알아야 한다. 임상적으로 쑥뜸으로 치료된 환자는 재발의 경우가 드물다. 그것은 내 몸의 근본 원인을 제거하고 잠재되어 있는 자연치유력으로 면역력과 저항력을 키웠다는 뜻이기도 하다.


7) 완전히 새로운 쑥뜸 법

쑥뜸은 웬만한 나이 드신 분은 익히 아는 민간요법이고 실제 경험하신 분들도 많으리라 생각이 든다. 하지만 요즘 젊은 사람들은 잘 모르거나 한의원에서 쑥을 태워 병을 치료하는 요법이란 정도로 알 것이다. 쑥뜸에 대해서 좀 더 알고자 한다면 인터넷을 찾아보면 다양한 정보를 통하여 효과, 효능, 임상 등이 잘 나타나 있고 여러 가지 쑥뜸법에 대한 소개도 다양하게 있어 독자들도 싶게 정보를 얻을 수 있다.

아주 오래전부터 우리 민족이 구병의 방법으로 써왔던 쑥뜸은 현대에 와서 양의학에 밀려 뒷전이 되다시피 한 것이 사실이고, 그 이유를 들자면 여러 가지가 있지만 첫째는 냄새와 연기로 인해 번거롭다는 것이 있고 다른 이유는 현대인이 가지고 있는 수많은 복잡하고 다양한 질병에 잘 대처하지 못한다는 이유도 있다. 즉, 현대인의 질병에서 몇몇 만성질환을 제외하고는 효과를 신뢰하지 않는 사람들이 많다는 것이다.

이유야 어떻든 냄새나 연기는 그렇다 치더라도 정말 쑥뜸이 현대의 수많은 질병에 효과가 미미한 것일까? 결론적으로 말하면 그렇지 않다는 것이다. 쑥뜸은 자연치유력을 높이는 가장 효과적인 방법 중 하나이다. 만성질환뿐 아니라 급성질환에도 탁월한 효과가 있다. 예를 들어 감기나 독감에 걸렸을 때 흔히 열이 나고 기침을 한다. 이때 적절한 부위에 쑥뜸을 하면 열이 내려간다. 기침도 마찬가지다. 이는 성인뿐 아니라 소아에게도 적용된다. 자세한 쑥뜸 방법은 뒤에서 설명하기로 한다.

먼저 쑥뜸의 용어부터 알아보자. 쑥뜸을 풀이하자면 '쑥을 태워 뜸을 들인다.'이다. 여기서 쑥은 재료를 말하고 뜸은 방법을 이야기하는데 뜸이라는 말은 본디 '듬(入)'에서 나온 말이다. 그래서 뜸은 들이는 과정이 중요하다. 뜸의 사전적 정의를 보면 '음식을 찌거나 삶을 때 밑불을 끄거나 줄이고 뚜껑을 덮어둔 채 그대로 두어 김이 속까지 배어 푹 익게 하는 방법이다.'라고 적고 있다. 위의 사전적 의미만 보더라도 지금의 쑥뜸의 방법과는 사뭇 다른 듯하다.

기존의 쑥뜸 방법은 쑥을 살에 직접 올려놓고 뜨는 직접구와 링이나 다른 도구를 이용하여 살을 태우지 않고 뜸을 뜨는 간접구가 있다. 직접구든 간접구든 쑥을 태워서 이용하는 방법은 같다고 할 수 있다. 쑥의 유효한 성분을 모두 태워 버리고 쑥 열의 일부와 쑥이 타고 남는 진액을 이용하거나 살을 태워 강한 자극과 상처의 특수 작용을 이용하여 치료하는 방법이 기존의 쑥뜸법이라 할 수 있다.

쑥을 태울 때 쑥의 열기는 위로 올라가기 마련이다. 밑으로 내려오는 열기는 전체에 비해 일부에 지나지 않는다. 또한 쑥에는 우리 몸에 이로운 많은 성분이 있다 하지만 쑥을 모두 태우는 기존의 쑥뜸 법으로는 쑥의 이로운 성분을 온전히 몸으로 들이기가 어렵다. 이러한 쑥뜸 법은 우리말의 뜸이 아닌 중국 한자인 灸(구)의 한자 풀이(오랠 구 久와 불 화 火)처럼 그저 쑥을 오래 태운다는 뜻의 쑥뜸이다. 그러므로 지금의 灸(구)는 중국식 쑥뜸법이라 할 수 있다.

우리말에 '김 빠지다', '김 샜다'라는 말은 모두 뜸과 관련된 말이다. 이 말은 뜸을 잘못들일 때 쓰는 말이다. 우리의 뜸 법은 밥에 뜸을 들이듯이 불이 직접 살에 닿지 않고 열기와 김(濕 습)으로 몸에 들이는 방법이다. 따뜻한 돌을 배 위에 올려놓는 돌 뜸이나, 따뜻한 구들장에 엎드려 따끈하게 하는 방법도 이에 해당한다 할 수 있다. 쑥뜸은 열기와 쑥의 유효 성분을 김(濕 습)의 형태로 몸에 들이는 방법이어야 한다.

그러므로 고마쑥뜸은 우리의 뜸 법에 부합하도록 고안된 완전히 새로운 뜸 요법이다.


## 8) 고마쑥뜸의 특징

고마쑥뜸은 60여 년 전 최재충 박사에 의해서 처음 개발 되었다. 당신의 지병을 치료하던 중 쑥뜸을 알게 되었고 쑥 뜸을 연구하면서 쑥뜸의 방법이 잘못되었다는 의문에서 시작 하여 개발하게 되었는데 그 의문을 해결하는 방법을 '뜸'이 라는 우리말의 속뜻에서 찾게 되었다.

앞에서 설명한 바를 다시 설명하자면, 우리말의 '뜸'이란 단어에는 몇 가지 함축된 의미가 있다. '뜸'은 '들이다'라는 서술어와 함께 쓰인다. 여기에는 원리적, 방법적인 속뜻을 내 포하고 있다. 뜸을 들이기 위해서는 몇 가지 조건이 충족되 어야 한다. 첫째로 열기이다. 직화(直火)가 아닌 은근한 열기 이다. 둘째는 압력이다. 일정한 압력이 있어야 뜸을 들일 수 있는 것이다. 셋째는 김(수분)이다. 이 세 가지를 충족해야만 뜸을 들일 수 있는 것이다. 고마쑥뜸에서 쑥을 일정 부분 태운 후에 눌러 끈다는 것은 직화가 아닌 열기만을 이용하는 것이고 환부에 대고 눌러주는 것은 압력을 가하는 것이며 눌러줌으로써 쑥 자체의 수분과 몸속의 습(濕)이 외부로 나오면서 수분을 갖게 되기 때문에 우리말의 뜸이라는 속뜻을 온전히 구현하는 것이다.

고마쑥뜸은 피부에 주는 열의 자극이 강하고 전달되는 열의 침투 깊이도 깊을 뿐 아니라 화상의 위험도 줄일 수 있다. 또한 불치성 난치성 질환뿐 아니라 거의 모든 질병에 효과를 볼 수 있고, 급성질병이나 만성질병에도 효과를 볼 수 있다.

위에서 설명한 방법적인 차이뿐만 아니라 쑥뜸은 인체를 구조적(체질적)으로 30종류 생리적으로 36분류로 구분하고 임상과 해부생리를 바탕으로 쑥뜸 부위를 정해놓은 것이다. 한방에서의 경락이나 혈자리와 전혀 다른 개념이며 특별히 금구혈처럼 피해야 할 인체부위도 없어 인체 어디에나 쑥뜸을 할 수가 있다 .

고마쑥뜸의 가장 큰 특징은 누구나 쉽게 배워서 할 수 있다는 것이다. 인체를 잘 몰라도, 의학적 지식이 없어도 누구나 할 수 있으며 주의할 점만 숙지한다면 화상의 위험도 거의 없다. 누구나 자신의 병을 스스로 치료할 수 있는 도구이며 자신과 자신의 가족의 건강을 예방하고 지켜내는 훌륭한 동반자가 바로 고마쑥뜸인 것이다.

## 9) 고마쑥뜸의 효능

고마쑥뜸의 효능은 다음의 13가지로 요약할 수 있다.

① 진통 작용
② 해열 작용
③ 배설 작용
④ 진정, 강심 작용
⑤ 제염 작용
⑥ 순환 작용
⑦ 살균 작용
⑧ 촉진 작용
⑨ 촉진 억제 작용
⑩ 실조 부활 작용
⑪ 혈액 생산
⑫ 임파 생산
⑬ 신경 이완 및 신경 억제

상기의 작용은 발병의 조건이자 치병의 조건이다. 즉, 위의 작용들이 제 기능을 못하면 질병이 발생하는 것이다. 우리 몸은 늘 정상상태를 유지하게끔 설계 되어진 몸이다. 하지만 현대를 살아가면서 생활환경, 음식, 스트레스 등에 의해 균형이 깨지면서 체질적으로 약한 부위에 기능에 문제가 오기 시작하여 질병이 발생하게 된다. 상기의 작용들은 자연치유력을 도와 우리 몸을 정상 상태로 만드는 조건이다.

① 진통, 해열, 제염 작용

염증의 발생은 통증과 발열이 동반된다. 바이러스성 발열은 염증성과 구별되는데 이는 뇌중추를 자극하여 생기는 발열이다. 대표적으로 감기나, 코로나가 이에 해당되는데 이때의 발열은 뇌 자리를 쑥뜸 하면 해열이 된다. 그 외에 염증성 발열 및 통증은 염증 발생 부위에 직접 쑥뜸을 하면 제염이 되면서 통증 제거와 해열이 된다.

② 배설 작용

배설 작용은 대표적으로 신장과 대장에서 이루어진다. 변비는 대표적인 대장 질환이다. 대장의 연동 운동에 문제가 있다고 보지만 이는 체질적으로 장이 약한 사람으로서 대장 자율 신경이 약하거나 대장 정맥 순환이 약한 사람이다. 대장이 안 좋은 사람은 허리가 약한 것이 특징인데 이 또한 허리에서 오는 신경에 문제가 있기 때문이다. 허리에 쑥뜸을 하고 아랫배 특히 가운데와 왼쪽 아랫배를 집중적, 반복적으로 하면 해결할 수 있다.

③ 진정, 강심, 실조 부활, 신경 이완 작용

자율 신경은 우리 몸의 항상성과 밀접한 관계를 갖는 중추 신경으로 교감신경이 오랫동안 지나치게 흥분되면 실조 증상이 나타나는데 이는 심장 박동의 문제, 피부 문제, 소화 문제 등 다양한 형태로 나타난다. 교감 신경이 흥분된 상태일 때 쑥뜸을 하게 되면 부교감 신경이 활성화되어 진정, 실조부활 상태가 되어 몸의 안정을 되찾을 수 있다. 이는 짧게는 일주일 길게는 3개월 안에 효과를 볼 수 있다. 완치는 체질에 따라 6개월 이상이 걸릴 수 있다.


④ 순환 작용

혈액 순환, 림프 순환 등의 장애에도 탁월한 효과를 갖는다. 혈액 순환에 문제가 생기면 혈압, 뇌혈관, 순환기 등에 문제가 올수 있다. 쑥뜸을 하게 되면 신경 이완 작용으로 혈관이 확장되고, 혈류량이 증가하면서 혈액순환이 빨라짐으로써 혈압이 안정되고 뇌혈관 순환이 원활해지며 정맥 혈관의 이완으로 순환기 계통의 질병에 효과를 볼 수 있다.


⑤ 촉진, 촉진 억제 작용

수면장애, ADHD, 당뇨, 조현병, 파킨슨 등은 호르몬 분비의 조절에 문제가 있는 질병이다. 호르몬은 우리의 생명을 유지하는 아주 중요한 물질이며 한 사람의 정체성까지도 영향을 주는 물질이다. 도파민 분비의 과다는 조현병과 관계가 있고 도파민 부족은 파킨슨병과 관계가 있다. 이러한 내분비의 촉진, 억제도 적절한 쑥뜸 부위를 선정하여 쑥뜸을 하게 되면 효과를 볼 수 있다.

2장 쑥뜸 부위 선정

1) 쑥뜸 부위란?

고마쑥뜸은 기존 쑥뜸과 구별이 된다. 원리도 다르고 방법도 다르다. 고마쑥뜸을 접하면서 한의학의 경락이나 혈 자리의 지식은 모두 지우고 새로운 개념으로 받아들이길 바란다. 때로는 기존의 지식을 접목하여 활용하는 사례가 있으나 효과적인 면에서 추천하지 않는다. 기본적인 인체의 이해만 있으면 어떤 의학적 지식이 없어도 가능한 것이 고마쑥뜸이며 읽고 실습하여 익히면 누구나 쉽게 자신의 질병을 치료할 수 있다.

쑥뜸 부위란 질병을 치료하기 위한 인체의 특정 부위를 말한다. 우리는 몸이 아프면 본능적으로 그 부위를 쓰다듬거나 문지른다. 이는 피부가 몸속의 장기와 직간접적으로 연결이 되어 있음을 뜻하고 실제로 그 부위에 쑥뜸을 하면 효과를 본다. 하지만 어떤 질병에 대해서는 전혀 다른 위치를 선정하여 쑥뜸을 하여야 한다. 실제로 쑥뜸 부위는 대부분 상식적이며 부위의 선정도 포인트 개념이 아니기 때문에 약간 빗나가도 큰 문제는 없다. 아래는 쑥뜸 부위의 위치 선정과 방법에 대하여 설명하였다.

## 2) 36생리 구조

| 구분 | + 생 리 구 조 | 구분 | - 생 리 구 조 | |
|---|---|---|---|---|
| 대·소뇌중추계 및 척수계 | 정신 및 전신중추 | 연수·뇌간 중추계 | 감정중추 및 피부 ·모발·심폐중추 | 두부 |
| | 수족 및 운동신경중추 | | 근육 조직계 | |
| | 감각기 및 뇌신경중추 | | 골·관절계 | |
| 내분비계 중추계 | 뇌 내분비계 | 혈액·혈관 중추계 | 혈 액 중 추 | |
| | 경부 내분비계 | | 혈 관 중 추 | |
| | 전신 내분비계 | | 비뇨·생식 내분비계 | |
| 자율신경계 | 경추 자율신경계 | 순환기계 | 경 동 맥 계 | 흉부 |
| | 흉추 자율신경계 | | 심 장 계 | |
| | 요추 자율신경계 | | 대동맥 및 생식동맥계 | |
| 소화기계 | 비 장 계 | 호흡기계 | 기도·폐문계 | |
| | 위 계 | | 기 관 지 계 | |
| | 간·십이지장계 | | 폐 장 계 | |
| 장기계 | 췌 장 계 | 비뇨기계 | 신우·부신계 | 복부 |
| | 소 장 계 | | 신 장 계 | |
| | 대장 및 직장·항문계 | | 수뇨·방광계 | |
| 대정맥계 및 | 경부뇌정맥계 | 특수신경계 생식 및 | 심장 자율신경계 | |
| | 흉부소화기정맥계 | | 호흡자율신경계 | |
| | 대정맥 및 대장 정맥계 | | 신장 및 생식자율신경계 | |

※ 상기표는 최재충 박사의 '흔의학총론'에서 발췌하였다.

- 26 -

쑥뜸 부위를 세부적으로 36가지로 분류하였으나 이는 머리, 가슴, 배를 분류하고 머리는 뇌와 경부, 가슴은 상흉곽부와 하흉곽부로, 배는 상복부와 하복부로 분류한 것이다.

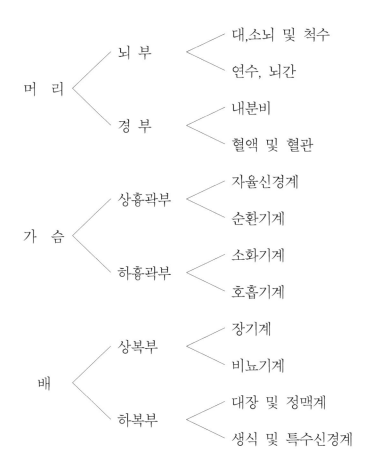

위의 12가지 분류는 각 3항씩 세 분류를 하면 36가지로 분류된다. 모든 질병은 위의 12분류로 분류할 수 있고 그것은 곧 기본 쑥뜸 부위가 된다. 다시 12분류를 실제 쑥뜸 부위로 표시하면 다시 10분류로 축소된다. 뇌부와 경부는 하나의 부위로 통합되기 때문이다.


## 3) 10분류에 의한 쑥뜸 부위

거의 대부분의 질병은 아래 10개의 쑥뜸 부위 그룹 안에 포함되며 정확한 병명을 찾기보다는 몸의 불편한 부분이 어느 그룹 안에 포함되는지 알고 아래의 쑥뜸 부위에 쑥뜸을 하면 된다.

고마쑥뜸의 질병치료 원리는 기능이상이나 조절장애 등의 문제를 자연치유력을 이용하여 제 기능의 정상화를 돕는 것이다. 즉 불면증, 불안증, 우울증 등은 뇌기능에 문제가 온 것이다. 이는 뇌기능을 정상적으로 되돌리면 치유되는 것으로 쑥뜸은 어느 한 부분만을 표적 치료 한다기 보다 전체 기능을 되살리는 요법이다. 소화기계의 쑥뜸 부위에 쑥뜸을 하면 소화기와 관련된 질병이 모두 포함된다. 이는 위, 간, 십이지장, 비장이 모두 포함된다는 뜻이다. 비뇨기계의 쑥뜸 부위를 쑥뜸 하면 신우, 부신, 신장, 방광의 비뇨기계 전체를 치료한다는 의미이므로 아래의 쑥뜸 부위는 계통별 쑥뜸 부위인 것이다.

다만 복합적 증세가 나타나는 질병은 어느 한 계통만 참고할 수 없는 경우가 있다. 병이 중하거나 오래되면 여러 증상이 나타나게 되는데 이때는 증상 하나하나를 치료해 주지 않으면 안 된다. 예를 들어 암(癌)일 경우에는 초기 암부터 말기 암까지 병명은 같더라도 병의 경중이 다르기 때문에 증상이 다를 수 있다. 암이 진행될수록 통증, 소화, 불면, 복수, 배설 등에 문제가 오고 따라서 암 자체를 치료함과 동시에 증상치료를 같이 병행해야 되기 때문에 10분류의 계통별 치료보다는 증상을 하나씩 없애는 치료가 필요하다.

아래의 계통별 쑥뜸 부위는 체질적으로 약한 계통을 치료하는데 중점을 둔 쑥뜸 부위이다. 즉, 평소에 아랫배가 차다고 느끼거나 공기가 조금만 안 좋아도 기침을 한다면 그 계통이 체질적으로 약한 부위가 된다. 이럴 때 대장·정맥계나 호흡기계의 쑥뜸 부위를 찾아 쑥뜸 하면 된다. 특별히 질병은 아니지만 평소에 약하다고 느끼거나 불편하다고 느끼는 부위는 보통 체질적인 경우가 많다.

이렇게 체질적으로 약한 부분을 그냥 넘기면 나이가 들면서 질병이 되거나 더욱 불편해져 일상생활이 힘든 경우까지 발전하게 된다. 과일도 하나가 썩기 시작하면 주위의 다른 과일까지 썩어 들어간다. 질병은 방치하면 하나의 질병으로만 있는 것이 아니고 점점 더 많은 질병이 생기는 것이다. 내 몸이 종합병원이라고 하는 말이 그렇기 때문에 나온 이야기이다.

쑥뜸은 내 몸을 살리는 가장 좋은 방법 중 하나이다. 꾸준히 쑥뜸을 한다면 반드시 건강을 지킬 수 있다. 내 몸이 건강할 때 나오는 강력한 신호는 없던 의욕이 생기는 것이다. 평소에 미루거나 마음만 먹었던 일도 건강해지면 저절로 몸이 움직여지는 의욕이 생긴다. 없던 의욕과 열정이 생기는 것은 심리를 지배하는 육체가 제 기능을 한다는 의미이다.

① 대·소뇌 및 척수, 연수 및 뇌간, 내분비계

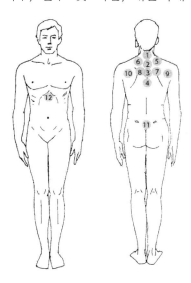

② 혈액 및 혈관계

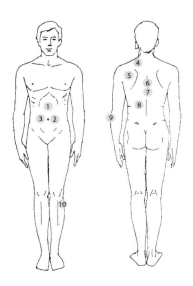

### ③ 자율신경계

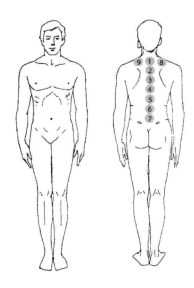

### ④ 순환기계

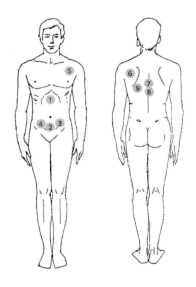

⑤ 소화기계

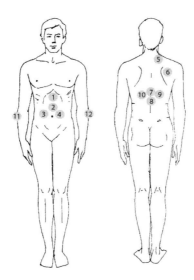

⑥ 호흡기계

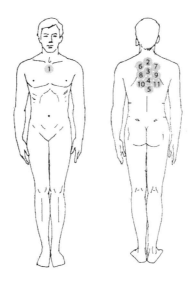

## ⑦ 장기계

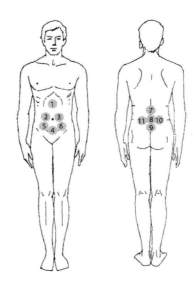

## ⑧ 비뇨기계

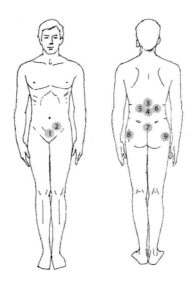

⑨ 대장 및 정맥계

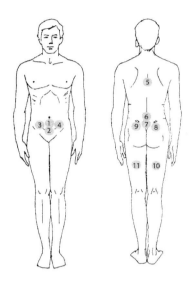

⑩ 생식 및 특수신경계

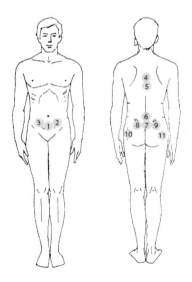

4) 쑥뜸 부위 위치

위에서 쑥뜸 부위를 그림으로 표시하였지만 막상 정확한 위치를 알기가 애매한 부위들이 있다. 아래는 그런 부위들을 그림과 함께 설명하였다.

(1) 대·소뇌 및 척수계, 연수 및 뇌간, 내분비계

이 부위는 뇌와 관련된 모든 질병에 해당된다. 뇌신경, 뇌혈관, 호르몬, 자율신경 등 모든 뇌기능과 관련된 질병 치료에 관련된 부위이다. 뇌신경, 호르몬, 뇌혈관 등의 비정상적 상태로 인한 뇌질환은 이완, 조절 등으로 정상상태로 되돌려 제 기능을 하도록 돕는 쑥뜸 부위이다.

그림에서 ①~④는 흉추 1번부터 명치 반대 부분까지의 척추에 해당하는 부위이다. 번호가 ①~④ 이렇게 표시되어 있어도 네 군데 쑥뜸 하라는 의미보다는 면적의 의미로 봐야 한다. 어떤 사람은 덩치가 커서 다섯 번 할 수도 있고 몸집이 작은 사람은 세 번에 할 수도 있는 것이기 때문에 꼭 숫자에 의미를 두기보다는 부위의 개념에서 접근하는 것이 좋다.

⑤, ⑥은 견갑골과 척추사이의 어깨에 해당하는 부위이다. 이 부분은 신경안정을 담당하는 부위로써 견갑골이나 척추 뼈가 닿지 않게 쑥뜸을 해야 한다. 생각보다 많이 목 쪽에

가깝다. 이 부위는 어깨의 가장 윗부분에서 약간 경사진 아랫부분까지 포함한다. 보통 어깨가 무거울 때 뻣뻣해지는 부위이고 어깨를 주무를 때 해당하는 부위이다.

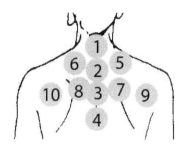

⑦, ⑧은 ⑤, ⑥의 아랫부분으로 견갑골의 튀어나온 가운데 부분과 척추 사이를 가리킨다. 이 부분의 쑥뜸 시 척추의 바로 옆자리이며 척추 뼈와 견갑골의 사이 이므로 견갑골의 뼈를 비껴서 쑥뜸해야 된다.

⑨, ⑩은 견갑골로서 견갑골의 중앙에 해당된다. 자리를 정확히 찾기 위해 엄지손가락으로 눌러보면 유난히 아픈 곳이 있다. 그 부위를 중심으로 쑥뜸 하면 된다. ⑪은 비뇨기계 참고, ⑫는 소화기계 참고

(2) 혈액 및 혈관계

⑦은 명치반대쪽에 해당된다, 여성의 속옷 끈이 지나가는 부분으로 위의 대·소뇌 및 척수계, 연수 및 뇌간, 내분비계

쑥찜 부위의 ④에 해당하는 부위이다. ⑥은 ⑦의바로 윗자리에 해당한다. 심장 위치의 등 쪽에 해당하는 부위이다.

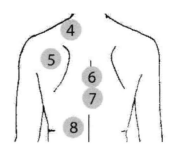

⑨는 수삼리에 해당하는 부위로서 위치는 팔을 구부린 후 팔 주름에서 손가락 네 개를 올려놓으면 끝점에 해당한다. 이 자리를 누르면 통증이 온다. 주위를 눌러 가장 아픈 곳을 찾으면 된다.

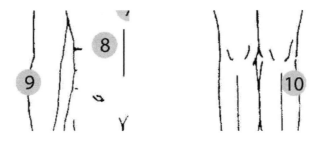

⑩은 족삼리에 해당하는 부위로서 위치는 무릎을 구부린 상태에서 무릎을 손바닥으로 감싼 후 무릎의 바깥쪽으로 손가락 중지의 끝부분에 해당한다. 이곳도 손가락으로 누르면 통증이 오는데 가장 아픈 부위를 찾으면 된다.

(3) 자율신경계

　자율신경계는 경추부터 흉추, 요추, 천골까지 척추를 모두
쑥뜸하면 된다.


(4) 순환기계

　심혈관, 뇌혈관 및 동맥, 정맥 등 몸의 혈액순환에 관한
모든 질병을 포함한다. 각각의 질병별 쑥뜸 자리는 뒷면의
질병별 쑥뜸 부위표를 참고로 한다.

　⑤는 팔과 가슴을 연결하는 부위의 움푹 파인 곳을 가리
킨다. ⑦, ⑧은 위의 혈액 및 혈관계의 ⑥, ⑦과 동일하며
⑨는 심장의 위치이며, 견갑골의 바로 밑 부분에 해당한다.

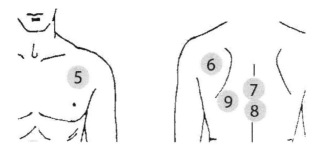

(5) 소화기계

소화기계의 쑥뜸자리는 뒷면 ⑦~⑩도 중요하지만 앞면 ①~④를 집중적으로 해야 된다. 위염과 위궤양 등 통증을 동반하는 위장질환은 ①이 가장 중요한 쑥뜸부위이며 손으로 눌렀을 때도 통증을 유발한다. 명치에 해당한다.

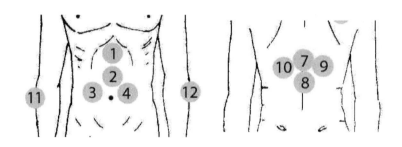

이 부위는 갈비뼈 사이 즉, 복장뼈 아랫부분으로 체했거나 위염 등이 있을 때 누르면 몹시 아픈 곳이다. ②는 배꼽 바로 윗부분으로 명치 아래에 해당한다.

③, ④는 소장 자리로써 배꼽의 양 옆쪽이다. 위장 질환 중 통증을 제외하고 더부룩하거나 복부팽만감등 통증과 무관한 소화질환은 ②~④를 집중적으로 쑥뜸하면 된다.

⑦은 명치(①)의 반대쪽이고 ⑧은 ②의 반대에 해당하는 부위이다. ⑨, ⑩은 ⑦, ⑧의 중간부위에 해당된다.

(6) 호흡기계

호흡기계는 기관지 및 폐에 관한 모든 질병을 포함한다.

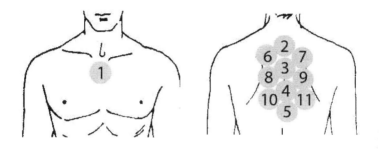

①은 기관지의 쑥뜸 자리이며 위치는 복장 뼈가 시작되는 윗부분이며 가슴의 편평한 부위가 시작되는 위치이다.

②~⑤는 흉추 1번부터 명치 반대 부분에 해당하는 부위를 표시한 것이고 ⑥~⑪은 척추 바로 옆으로 견갑골을 비껴서 편편한 부분이다.


(7) 장기계

장기계는 대장, 직장, 항문과 관련된 부위이다. 이중 항문의 질병은 질병별 쑥뜸부위의 '단방으로 쑥뜸하는 질병'의 치질란을 참고하기 바란다.

④는 단전의 부위로 배꼽과 치골 사이의 위치이며 ⑤, ⑥

은 골반 뼈를 비껴서 쑥뜸을 해야 하고 ⑨는 천골자리이다. ⑩, ⑪은 요추 3~4번의 옆자리인 기립근의 위치이다.

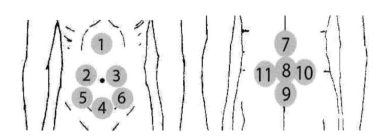

(8) 비뇨기계

①은 치골 바로 윗자리로 방광자리이다. 방광은 치골 안쪽에 위치하고 있으므로 치골 바로 위에서 밑으로 누른다고 생각하면서 쑥뜸을 해야 한다. ⑤, ⑥은 신장이 위치하는 자리로서 마지막 갈비뼈의 위치이다. 쑥뜸 할 때 척추에 붙여서 바로 옆자리이다.

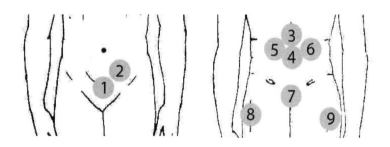

③, ④는 양쪽신장의 가운데 척추자리이다. ⑦은 천골자리이고 ⑧, ⑨는 고관절의 자리로써 똑바로 서있을 때 엉덩이 옆에 움푹 들어간 자리이다.


(9) 대장 및 정맥계

정맥계는 정맥순환을 통하여 몸 전체 혈액순환을 돕는 자리이다.

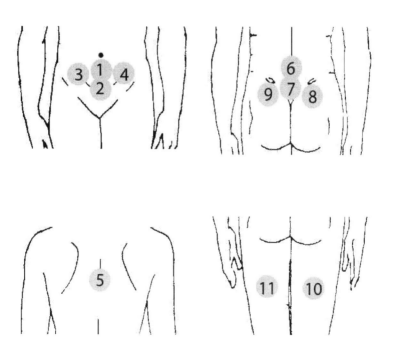

①, ②는 배꼽과 치골사이의 부위이다 ⑥은 요추 4번에 해당하고 ⑦은 천골자리이다. ⑧, ⑨는 허리가 아니고 엉치에 해당하는 부위이다. 골반 뼈로서 허리에서 엉덩이로 시작되는 부분이다. ⑤는 심장의 위치에 있는 척추이다. ⑩, ⑪은 햄스트링의 위치이다. 엉덩이 바로 밑 부분과 오금의 중간부위이다.

(10) 생식 및 특수신경계

이 부위는 생식기와 호흡자율신경. 심장자율신경, 생식신경을 자극하는 쑥뜸 부위이다.

④, ⑤는 심장위치의 척추에 해당하는 부위이고 ⑦은 천골, ⑧, ⑨는 엉치, ⑩, ⑪은 고관절의 위치이다.

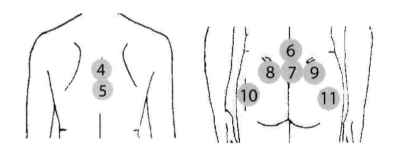

(11) 응급 부위표

① 응 급

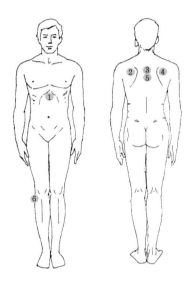

② 진통작용

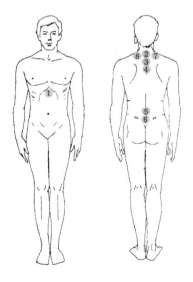

③ 해열작용

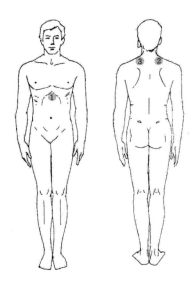

④ 배설작용

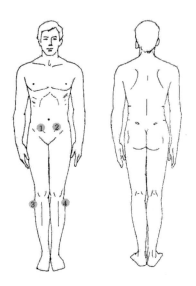

⑤ 진정, 강심작용

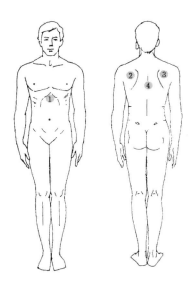

⑥ 제염작용

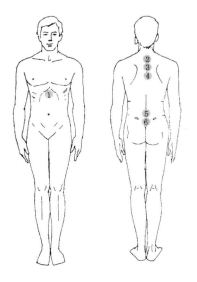

⑦ 혈액순환작용

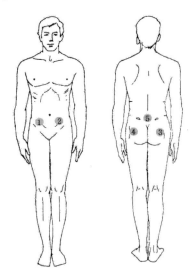

⑧ 신경이완작용

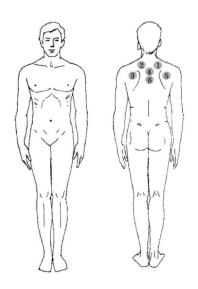

⑨ 내장전달작용

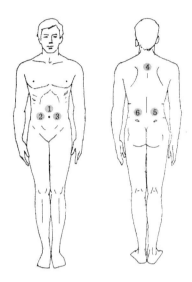

⑩ 지혈작용

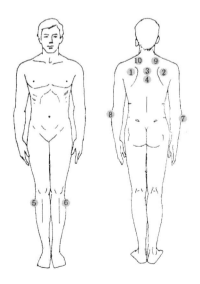

⑪ 진해작용

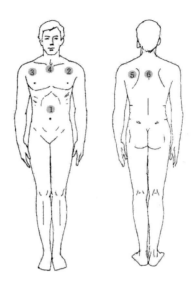

⑫ 내분비 조절작용

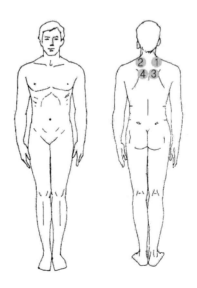

- 50 -

3장 체질에 따른 질병발생

1) 연치

　최재충 박사의 「흔의학총론」중 체질에 따른 질병 발생 부분을 일부 발췌하여 설명하고자 한다. 발병의 원인과 현재 상태에 대한 진단을 하기 위해서는 연치, 신장, 체중, 동·정맥표 등의 자료가 있어야 되지만 여기서는 진단을 목적으로 하지 않기 때문에 자신의 태어난 연도로써 개략적인 체질이 어떤지에 대한 설명을 하고자 한다. 아래의 연치에 따른 30체질은 본인이 자각하던 자각 하지 못하던 자신의 기본체질에 해당하므로 참고하기 바란다.

　우선 자신의 체질을 알기 위해서는 '연치'라는 개념의 설명이 필요하다. 연치는 달력에 해당하는 시간 기준표이다. 우리는 태양력을 사용하여 1년은 12개월 365일로 사용하지만 최재충 박사의 시간기준표에서는 1년을 30기(12일~19일) 365일로 정하고 30년을 1소년, 다시 30소년을 1중년으로 나누는 시간기준표(시표)를 사용한다. 즉, 시간기준표는 30배수를 사용한다. 인체는 소년 이하의 개념만 적용한다. 왜냐하면 30소년은 900년에 해당하기 때문에 소년 이상의 중년 개념은 필요하지 않기 때문이다. 연치는 개개의 1년을 말하고 소년은 30년(30연치)를 말한다. 여기서는 연치만을 다룬다.

　최재충 박사의 시간기준표에 따라서 올해(2024년)의 연치는 1소년 9년에 해당한다. 여기서 1소년은 현재 소년에 해당하고 시간기준표는 30년 단위로 순환되기 때문에 지금부터 30년 전인 1994년은 30소년 9년에 해당되고, 지금부터 앞으로 30년 후인 2054년에는 2소년 9년이란 의미이다. 30살 차이의 연령은 같은 연치(체질)를 갖게 된다. 즉 올해 1살과 31살, 61살(30년의 순환구조)은 같은 체질구조인 같은 연치를 갖는다.

연치는 같지만 소년이 다르다는 의미는 같은 체질구조(연치)를 갖더라도 현재의 생리 상태(30년의 시간차이)가 서로 다르다는 의미이다. 즉, 생리 상태가 조금씩 달라진다는 의미이고 이는 체질구조는 반복되는 것이 아니라 순환된다는 의미를 갖는다. 하지만 여기서는 소년이 달라도 연치가 같으면 같은 체질구조를 갖기 때문에 소년 보다는 9년이라는 연치만 사용한다. 왜냐하면 소년 보다는 연치가 더 큰 의미를 갖기 때문이다.

아래 표는 개인의 연치를 찾아보기 위한 표이다. 표에서 체질 번호인 연치를 알기 위해서 출생 년도를 찾고 왼쪽의 연치를 찾으면 되는데 양력 기준일에서 기준일 이후는 그해 연치를 보고 기준일 이전은 앞 연치를 찾으면 된다. 가령 1966년 5월 25일이면 연치가 11이다 하지만 생일이 1966년 3월 1일이라고 하면 양력기준일 이전이기 때문에 앞 연치인 10에 해당한다. 올해(2024년) 태어난 아이가 양력으로 3월 23일 이후에 태어났으면 연치는 9이고 3월 23일 이전에 태어났으면 연치는 8이 되는 것이다.

해당 연치 해설에서 A. B. C로 분류한 것은 편의상 노년, 중년, 초년으로 구분한 것이라 생각하면 된다. (30년마다 순환되는 체질구조에 의해 30년의 연령차이가 생긴다) 실제 질병은 유전, 음식, 환경조건에 의해 초년이면서 중년이나 노년의 증상이 있을 수 있고, 노년인데 중년의 증상이 나타날 수 있다. 단지 아래에 기술한 연치에 따른 체질 해설은 자신의 증상이 A, B, C중 어디에 해당 되는지 참고하면 된다.

본인은 건강하나 체질에는 안 좋게 나왔다 하더라도 평소에 몸 관리를 잘하였다면 증상이 없을 수 있기 때문에 반드시 증상과 일치하지 않을 수 있다. 또한 질병은 발생하였는데 자각하지 못하는 경우도 있다. 본인의 잠재적인 기본 체질이 그렇다는 것을 아는 것이 중요하고 평소에 관리를 잘한다면 증상은 없을 수도 있다.

## 2) 체질기준표(연치)

| 체질번호<br>(연 치) | 양력기준일<br>(월. 일) | 출 생 년 도 (년) | | | |
|---|---|---|---|---|---|
| 1 | 4. 04 | | 1956 | 1986 | 2016 |
| 2 | 3. 30 | | 1957 | 1987 | 2017 |
| 3 | 3. 25 | | 1958 | 1988 | 2018 |
| 4 | 3. 20 | | 1959 | 1989 | 2019 |
| 5 | 3. 29 | 1930 | 1960 | 1990 | 2020 |
| 6 | 3. 24 | 1931 | 1961 | 1991 | 2021 |
| 7 | 4. 03 | 1932 | 1962 | 1992 | 2022 |
| 8 | 3. 29 | 1933 | 1963 | 1993 | 2023 |
| 9 | 3. 23 | 1934 | 1964 | 1994 | 2024 |
| 10 | 3. 18 | 1935 | 1965 | 1995 | 2025 |
| 11 | 3. 28 | 1936 | 1966 | 1996 | 2026 |
| 12 | 3. 23 | 1937 | 1967 | 1997 | 2027 |
| 13 | 4. 01 | 1938 | 1968 | 1998 | 2028 |
| 14 | 3. 27 | 1939 | 1969 | 1999 | 2029 |
| 15 | 3. 22 | 1940 | 1970 | 2000 | 2030 |
| 16 | 3. 17 | 1941 | 1971 | 2001 | 2031 |
| 17 | 3. 29 | 1942 | 1972 | 2002 | 2032 |
| 18 | 3. 24 | 1943 | 1973 | 2003 | 2033 |
| 19 | 4. 07 | 1944 | 1974 | 2004 | 2034 |
| 20 | 4. 02 | 1945 | 1975 | 2005 | 2035 |
| 21 | 3. 27 | 1946 | 1976 | 2006 | 2036 |
| 22 | 3. 22 | 1947 | 1977 | 2007 | 2037 |
| 23 | 4. 01 | 1948 | 1978 | 2008 | 2038 |
| 24 | 3. 27 | 1949 | 1979 | 2009 | 2039 |
| 25 | 4. 05 | 1950 | 1980 | 2010 | 2040 |
| 26 | 3. 31 | 1951 | 1981 | 2011 | 2041 |
| 27 | 3. 26 | 1952 | 1982 | 2012 | 2042 |
| 28 | 3. 21 | 1953 | 1983 | 2013 | 2043 |
| 29 | 3. 30 | 1954 | 1984 | 2014 | 2044 |
| 30 | 3. 25 | 1955 | 1985 | 2015 | 2045 |

## 3) 연치에 따른 30체질

### 연치 1

A. 신경이 과민하고 감각기가 허약하면, 신경성 소화불량 신경쇠약 및 알레르기 증세가 오는 체질이다. 지나치게 신경을 쓰면 당뇨가 생기며 심장도 약해지면서 비대인인 경우 혈압에 이상이 올 수 있다.

B. 신경구조가 대단히 예민하고 민감하기 때문에 신경쇠약증이 올 수 있는 체질이다. 심장이 약해지고 알레르기성 체질이 되기 쉽고 감각기가 약해지면서 골, 관절, 경두부 혈액순환장애가 오기 쉽다.

C. 감각신경이 약하고 신경이 과민한 체질이기 때문에 신경쇠약증이 오기 쉽고 경추자율신경도 약한 편이다. 이로 인해 내분비선 질환이 오기 쉽고 특히 골, 관절, 심장, 피부 등이 약해질 수 있으며 알레르기성 특이 체질이 되기 쉽다.

### 연치 2

A. 흉추자율신경실조 현상이 오기 쉽고 신경이 과민하며 신경성 소화불량이 오기 쉬운 체질로서, 소장 및 위기능이 약해지고 정신의 영향이 건강에 민감하게 반응하는 것이 특징이기 때문에 심장기능 까지도 약해질 수 있다.

B. 경추자율신경이 실조 되기 쉽다. 이로 인해 감각신경을 비롯하여 신경쇠약 현상이 오기 쉽고 신경성 위염이 자주 온다. 따라서 근육 이완작용이 잘 안 되면서 신경통을 동반하며 심장기능도 약한 알레르기성 체질이다.

C. 흉추자율신경이 실조 되기 쉬운 체질이다. 때문에 신경성 소화불량이 오기 쉽고 심장 및 호흡기도 조심하는 것이 좋다. 또한 근육과 피부, 내장조직에 저항력이 약하기 때문에 염증에 약하며 신경쇠약증이 오기 쉽다.

## 연치 3

A. 신경이 과민하고 대장, 요추자율신경 및 눈, 코, 귀, 치아 등 감각기관이 허약한 체질로서 알레르기 및 신경쇠약 증세를 갖기 쉽고 비대한 사람은 동맥경화로 인해 고혈압이 오기 쉽다.

B. 요추자율신경이 실조 되기 쉬운 체질이다. 이로 인해 장기능이 원활하지 못하고 감각신경도 약하다. 따라서 동맥경화와 함께 하지 및 하복부기능도 떨어지면서 신경쇠약이 오고 뇌혈관 순환이 잘 안 되며 알레르기성 특이체질이 되기 쉽다.

C. 요추자율신경이 실조 되기 쉽고 이로 인해 대장과 감각신경에 민감한 반응이 오는 체질이다. 동맥순환도 원활한 편이 아니기 때문에 경동맥 순환장애가 올 때가 있다. 피부 및

심장기능도 약해질 수 있으며 알레르기성 특이 체질이 되기
쉽다. 때문에 정신 및 감정적 변화를 평소에 잘 조절하는 것
이 무엇보다 중요하다.

## 연치 4

A. 신경이 과민하고 소심하며 비장기능이 허약한 체질로서
혈액생산이 원활하지 못하여 현기증이 오기 쉽다. 비대한 사
람은 호흡기도 약하고 오래가면 심장 및 췌장기능까지 약해
질 수 있다.

B. 비위가 약한 체질이며 적혈구 생산이 원활하지 못하고
당 분비에 이상이 오기 쉽다. 호흡기가 차츰 약해지면서 하
지 신경과 생식기능에 이상이 오기 쉬우므로 특히 요추신경
을 무리해서는 안 된다.

C. 외형적으로 큰 이상이 없는 것 같으나 요추신경, 생식기
관, 하지관절 등이 좋지 못한 체질이다. 호흡기가 좋은 편이
못되고 비장과 췌장기능도 원활하지 못하여 적혈구가 부족하
거나 정신이 과민해지면 췌장분비에 이상이 오기 쉽다.

## 연치 5

A. 위가 비대한 체질로서 별다른 자각증상을 못 느끼는 것
이 특징이며, 오히려 심장 및 호흡기, 생식기능에 이상이 오
기 쉽다.

B. 위가 비대한 체질이다. 이로 인해 대개의 경우 기관지, 심장기능 등이 떨어지면서 생식기관 및 요추신경이 약해지기 쉽다.

C. 위가 비대한 체질이며 심장과 기관지도 약한 편이다. 뿐만 아니라 요추신경과 생식기능도 온전한 편이 못되기 때문에 평소 식생활에 있어 편식을 피해야 한다. 소식을 하면 건강하지만 그렇지 못하면 순환기 장애가 오기 쉽다.

연치 6

A. 간 및 십이지장이 약한 체질로서 피로와 소화불량이 자주 오고, 이로 인해 장이 약해지는 것이 특징이다. 늑간 신경통(담) 및 견비통이 오기 쉽고 호흡기 및 생식기능 등에 이상이 오기 쉽다.

B. 간 및 십이지장이 허약한 체질이다. 이로 인해 호흡기 및 심장기능이 떨어지기 쉽고 차츰 신장 기능까지 약해진다. 또한 생식기능이 좋지 못해 하지 또는 요추신경이 약해진다.

C. 건강하면서도 피로를 잘 느끼는 체질이며, 십이지장과 간기능이 비대해지면서 오히려 십이지장염을 동반하여 간 기능을 약화시킨다. 시간이 흐르면 대장기능도 약해지기 쉽고 신경과민증도 오기 쉽다. 평소에 요추신경을 보호하고 신장과 생식기능에 유의하는 것이 좋다.

연치 7

A. 췌장기능 및 내분비기능이 허약하고 저항력이 떨어지기 쉬운 체질이다. 따라서 신경성 소화불량이 오고 신장기능이 약해지기 쉽다.

B. 췌장기능에 이상이 오기 쉬운 체질이다. 따라서 저항력이 항상 떨어지기 쉽고 장기능도 약해진다. 시간이 흐르면서 신장기능도 떨어진다.

C. 췌장이 약한 체질로서 방광, 요도, 신장을 비롯한 하복부 기능이 약한 편이다. 평소에 성격이 과격하거나 우유부단하고 편식을 하면 당뇨가 올 수 있다. 항상 하복부를 따뜻하게 해주는 것이 좋다.

연치 8

A. 소장기능이 허약하고 신경통, 장염 등을 유발하기 쉬운 체질로서 오래가면 현기증이나 빈혈을 동반하고 신장염을 유발하기 쉽다.

B. 소장이 허약한 체질이다. 이로 인해 혈액순환이 잘 안 되면서 신장기능과 호흡기까지 약해지고 만성 소화불량과 하지 신경통도 올 수 있다.

C. 소장이 약한 체질로서 운동신경도 약한 편이다. 소장이

약해지면 하복부에 부담이 가고 십이지장염도 오기 쉽다. 식생활에 균형을 갖고 항상 부지런한 습관을 갖는 것이 좋다. 그렇지 못하면 신장염이 올 수 있다.

연치 9

A. 대장기능이 허약한 체질로서 하체, 관절 등이 약한 것이 특징이며 맹장, 직장, 항문이 약하고 신장기능까지 약해지는 체질이다.

B. 대장기능이 허약한 체질이다. 따라서 항문, 맹장, 직장기능이 약하다. 시간이 지나면서 차츰 신우와 신장이 약해지고 요추 및 하지 혈액순환이 잘 안 되어 혈압에 이상이 올 수 있다.

C. 혈압에 이상이 올 수 있고 맹장, 항문 등 대장이 약한 체질이다. 운동이 부족하면 하지 신경통, 관절염 등이 오기 쉽고 신우 및 신장이 약해지며 폐활량도 떨어지기 쉽다. 우유부단한 성격은 건강에 좋지 못하다.

연치 10

A. 대장이 허약한 체질로서 대장에 지방이 축적되기 쉽고 혈액순환이 잘 안 될 때가 많다. 평소에 신경이 과민해지면서 감각기가 약해지기 쉽고 경두부 정맥순환이 잘 안 되어 고혈압이 되기 쉽다. 비대해지면 기관지 및 심장기능까지 약

해진다.

B. 대정맥작용이 원활하지 못한 체질이다. 따라서 대동맥경화가 오기 쉽고 대장이 좋지 못하며 혈압이 생기기 쉽다. 하체기관이 좋지 못한 탓으로 오히려 경두부가 약해지면서 감각기 혈관이 약해지고 호흡기(폐)가 나빠지기 쉽다.

C. 혈압이 떨어지고 요추 및 경정맥 순환이 약하며 감각혈관장애가 오기 쉽다. 육식 등 지방질 음식을 좋아하면 몸이 차거나 땀이 많고 대장기능이 떨어지면서 호흡기와 심장까지 약해질 수 있다. 규칙적인 운동과 부지런한 생활습관이 필요하다.

연치 11

A. 대장기능이 허약하고 간 및 십이지장기능이 약한 체질로서 대정맥이 약하기 때문에 혈액순환이 원활하지 못하여 견비통이 오기 쉽고 호흡기 및 생식기능까지 약해진다.

B. 대장기능에 이상이 있고 간 및 십이지장기능도 떨어지는 체질이다. 대정맥 순환이 잘 안 되는 체질이기 때문에 처음엔 혈압에 이상이 오기 쉽고 오래 두면 소화기능 및 장기능이 나빠지면서 기관지를 비롯한 호흡기에 이상이 온다.

C. 대장 및 간 호흡기의 혈액순환이 잘 안 되는 체질이다. 혈압에 이상이 오면 장기능이 나빠지고 기관지가 좁아지면서

심장까지도 약해질 수 있다. 과격한 성격은 건강을 해치므로 온유한 성품을 지니도록 해야 한다.

## 연치 12

A. 대장, 맹장, 항문 등이 약하고 요복부 혈액순환이 원활하지 못하여 신진대사가 잘 안 되는 체질로서 땀이 많고 하체가 습하며 요추, 하지신경 및 호흡기, 생식기능이 약하다.

B. 대장, 항문, 맹장 등의 기능과 하지 혈액순환이 원활하지 못한 체질이다. 이로 인해 요통, 하지 혈액순환장애와 함께 혈압에 이상이 오고 땀이 많거나 냉한 체질로 변하기 쉽다. 신체의 하부와 흉곽에 순환적 차이가 생기면서 기도가 약해지며, 오래가면 생식기관의 기능도 떨어지게 된다.

C. 대장기능이 좋지 못하여 하지 혈액순환이 잘 안 되는 체질로서, 항문과 요추가 약해진다. 따라서 기도가 좁아지면 심장기능까지도 약화되며, 혈액순환이 안 될 경우 알레르기 체질이 되기 쉽다. 지나친 지방질 음식을 피하고 섬유질 음식을 섭취하는 식생활 습관이 필요하다.

## 연치 13

A. 알레르기성 특이체질인 경우가 많고 눈, 코 및 췌장, 대장기능 등이 허약하면 관절도 약한 것이 특징이다. 특히 신경쇠약, 당뇨, 신경통 등이 오고 척추신경 및 심장기능까지

약해진다.

B. 신경과 정신 등이 과민한 체질이며, 신경성 알레르기 체질이 되기 쉽다. 감각신경 및 대장, 췌장 등이 약하고 척추신경도 약한 편이다. 따라서 신경쇠약증이 오기 쉽고 생식기, 신장, 대장 등의 혈액순환이 원활하지 못하여 저항력이 떨어지며 동맥경화가 오고 심장기능까지 약해지기 쉽다.

C. 선천적으로 특이체질이며 알레르기성 체질이다. 신경이 과민해지면 장 기능 및 감각신경, 척추 등이 약해지기 쉽다. 그러므로 안정된 성격이 필요하며, 그렇지 못하면 내분비장애가 와 대동맥순환이 잘 안 되면서 하복부가 약해지고 신경쇠약으로 발전한다.

## 연치 14

A. 신경이 과민하고 운동중추신경이 약하며 내분비기능도 원활하지 못하다. 평소에 장이 차거나 불편함을 느낄 때가 있고, 신경성 소화불량이 오기 쉬우며 관절, 근육 등이 약한 편으로 알레르기성 특이체질이 되기 쉽다. 오래가면 심장기능도 약해진다.

B. 뇌신경이 약하고 운동신경에 신경통 또는 신경염이 오기 쉬운 체질이다. 신경쇠약이 오고 알레르기성 특이체질로 변하면서 심장기능 및 근육기능이 약해진다. 따라서 척추신경도 약하기 때문에 저항력이 떨어진다.

C. 내분비기능이 원활하지 못하고 신경 및 척추가 약한 선천적 특이체질 또는 알레르기 체질이다. 성격상 문제가 있으면 신경성 소화불량 및 장염, 신경쇠약증 등이 오기 쉽다. 차츰 심장기능도 떨어지기 쉬우니 항상 안정을 필요로 하고 편식을 금하는 것이 좋다.

## 연치 15

A. 알레르기성 특이체질로서 신경이 과민하고 눈, 코, 귀, 구강 등 안면 감각기가 약하며 항문, 맹장 대장기능이 좋지 못하다. 내분비기능도 원활하지 못하기 때문에 내분비선 질환을 갖기 쉽다. 가끔 두통 및 두중 현상이 오고 혈압에도 이상이 오기 쉬우며 관절이 약한 것이 특징이다.

B. 뇌신경과 척추신경 등이 약하고 신경이 과민하며 감각기, 대장기능 등이 약하고 내분비선이 원활하지 못해 각종 내분비질환이 오기 쉽다. 또한 관절이 좋지 못하고 차츰 심장에도 이상이 오기 쉬우며 알레르기성 특이체질이다.

C. 척추신경, 특히 요추신경이 약하고 뇌신경기능이 좋지 못한 체질이다. 대장, 항문, 맹장 등이 약하고 내분비질환이 오기 쉬우며 신경과민이나 쇠약증세가 올 수 있다. 안정된 성격과 안정된 생활이 필요하다. 지나치게 신경을 쓰면 특이체질 및 알레르기 체질이 되면서 피부가 약해진다. 또한 경동맥이 약하기 때문에 감각기관도 약해진다.

연치 16

A. 심장 및 호흡기기능이 원활하지 못한 체질로서 뇌의 경동맥 혈액순환이 잘 안 되는 경우가 있고 감각기의 혈관도 약한 편이다. 말초 혈액순환이 잘 안 되어 견비 및 팔이 저릴 때가 있고 신경이 과민해지므로 특히 직선적 성격을 자제하는 것이 건강에 유익하다.

B. 심장이 비대한 체질이다. 처음엔 별 자각증상 없이 오히려 호흡기에 부담이 온다. 신경이 과민해지고 상하기 쉬우며 시력에 이상이 온다. 시간이 지나면 감각기 및 척추신경이 약해지면서 대장 기능까지 약해지는 체질이다.

C. 심장이 약하고 뇌혈관 순환이 잘 안 되는 체질이다. 고지식한 성격이나 과격한 성격은 심장과 뇌기능을 약화시킨다. 감각기도 약해지기 쉽고 알레르기 체질 또는 특이체질화 되기 쉬우며 신경쇠약도 올 수 있다.

연치 17

A. 심장 및 관상동맥기능이 원활하지 못한 체질로서 신경이 과민해지면서 호흡기가 약해지기 쉽고 위염 및 간염, 십이지장염 등이 오기 쉽다.

B. 심장의 위치가 바르지 못하거나 비대한 체질이다. 호흡기가 차차 약해지면서 간동맥에 무리가 가기 쉽고 팔, 다리 등

에 신경염이 오기 쉽다.

C. 심장이 비대하고 관상동맥구조가 특이한 체질이다. 간 및 호흡기동맥이 원활하지 못하기 때문에 간과 호흡기를 보호해야 한다. 뿐만 아니라 뇌신경도 약하기 때문에 감각신경에 주의하고 신경성 소화불량을 일으키지 않도록 조심해야 한다. 건강이 나빠지면 알레르기 증세 및 운동신경에 신경염을 유발하게 된다.

## 연치 18

A. 동맥과 혈관기능이 원활하지 못한 체질이다. 따라서 혈액순환이 잘 안 되는 경우가 있고 이로 인해 호흡기가 약해지기 쉬우며 신경이 과민해지면서 저항력이 떨어지기 쉽다. 또한 생식 요추 및 하지 기능도 약하다.

B. 대동맥순환이 잘 안 되는 체질이다. 요추신경 및 하지신경이 약해지고 혈액순환이 잘 안 되며, 신경이 과민하고 정신을 지배하는 중추신경도 약한 체질이다.

C. 대동맥경화가 오기 쉬운 체질이다. 건강은 정신문제와 밀접한 관계가 있기 때문에 대범한 성격을 갖도록 해야 한다. 우유부단한 성격의 경우 신경쇠약증이 오기 쉽고 복부 및 말초혈관장애 등이 오며 알레르기성 특이체질로 변하기 쉽다.

연치 19

A. 기도와 기관지가 약한 체질로서 가끔 신경이 날카로워지고 감기에 민감하며 대장기능도 약하다. 또한 긴장된 생활이 계속되면 심장이 약해지기 쉬우며 췌장기능도 떨어질 수 있다.

B. 호흡기, 특히 기도가 약하고 협소해지는 체질이다. 신경이 예민해지고 비장, 췌장 등이 약해지기 쉽다. 시간이 지나면 하복부와 대퇴부의 혈액순환이 잘 안 되어 대장이 약해진다.

C. 기도가 협소해지거나 확장 또는 비대하기 쉬운 체질이다. 가끔 대장기능에 저항력이 약하기 때문에 대장염이 오기 쉽고 하지혈관장애 및 급성 위염도 올 수 있다. 매사에 긴장하기 쉬우니 항상 대범하고 너그러운 마음을 잃지 말아야 한다.

연치 20

A. 기관지 등 호흡기가 약한 체질로서 감기에 걸리기 쉽고 별 자각증상은 없으나 비교적 심장이 약한 편이다. 또한 대장기능이 약해지면서 기관지가 확장되기 쉽다.

B. 호흡기가 약하고 특히 기관지가 좁아지는 체질이다. 소장이 약해지면서 간동맥 순환작용이 잘 안 되고 대장기능도 떨어지기 쉽다.

C. 기관지가 좁거나 확장되기 쉬운 체질이다. 흡연이나 공기가 오염된 곳은 항상 피하는 것이 좋다 간동맥도 약하기 때문에 흉곽은 항상 조심해야 한다.

## 연치 21

A. 호흡기가 약한 체질로서 폐활량이 약하고 특히 폐동맥이 이상이 오기 쉽다. 건강에 무리가 오면 대장 기능까지 떨어지면서 만성기관지염을 동반한다.

B. 폐활량이 적고 공기에 민감하며 심장기능까지 떨어지기 쉬운 체질이다. 대장기능도 약한 편이며, 이로 인해 경정맥이 압박을 받기 쉬우므로 혈압이 생기거나 구강 및 감각기능도 약해진다.

C. 폐가 비대한 체질이면서 경부정맥이 원활하지 못한 편이다. 이로 인해 감각기 혈액순환장애도 올 수 있고 경부조직에 염증을 유발하는 경우도 있다. 항상 복부를 따뜻하게 하고 식생활에 유의해야 한다.

## 연치 22

A. 신우 및 신장기능이 약한 체질로서 신경이 과민한 편이며 평소 혈압에 이상이 오고 몸이 항상 무겁게 느껴지며 대장기능도 좋지 못하다 운동이 부족하거나 식사가 고르지 못하면 췌장도 약해지기 쉽고 알레르기성 체질이 되기 쉽다.

B. 신우와 신장기능이 약한 체질이다. 췌장과 소장도 약하기 때문에 저항력이 없다. 자각증상이 잘 나타나지 않으므로 지나치기 쉬우나 신경이 과민해지면 당 분비에 이상이 오기 쉽다.

C. 다른 기관에 비해 신우와 신장, 대장, 항문 등이 약한 체질이다. 신경을 많이 쓰거나 피로를 자주 느끼면 혈압에 이상이 오면서 저항력이 떨어지기 쉽다.

연치 23

A. 신장기능이 약한 체질로서 혈압에 이상이 오기 쉽고 몸이 무겁거나 이뇨작용이 잘 안 될 때가 있으며 차츰 대장 및 소장기능까지 약해진다.

B. 신장이 비대하거나 작용이 원활하지 못한 체질이다. 자각증상은 별로 없으며 오히려 소장기능에 이상이 오기 쉽다. 가끔 소화불량이 오거나 이뇨작용이 잘 안 되는 경우가 있고 이로 인해 혈압에 이상이 오기 쉽다.

C. 신장이 비대하여 그 기능이 원활하지 못한 체질이다. 운동량이 부족하거나 게으른 생활을 하면 신장염이 오기 쉽고 소장기능도 약해지면서 저항력이 떨어지기 쉽다.

A. 신장 및 방광 요도가 약한 체질로서 항상 혈압이 떨어지고 평소에 몸이 무겁게 느껴지며 하지관절 및 대장기능이 약한 것이 특징이다. 오래 두면 알레르기를 동반하면서 심장까지 약해진다.

B. 신장, 방광, 요도 등의 비뇨기가 약한 체질이다. 혈압에 이상이 오고 하지 관절이 약해지며 하지 혈액순환장애가 오기 쉽다. 이로 인해 췌장 및 비장이 약해지고 간 기능도 떨어지기 쉽다.

C. 신장, 방광, 요도 등 비뇨기에 저항이 약한 체질이며 혈압에 이상이 오기 쉽고 췌장에 부담이 오기 쉽다. 과민한 성격은 내분비 장애를 일으키기 쉬우니 각별히 유의하는 것이 좋다.

연치 25

A. 요추기능 및 신경이 약한 체질로서 평소에 땀이 많거나 하복부가 차가운 것이 특징이다. 처음에는 혈압에 이상이 오고 차차 신경이 과민해지면서 장과 생식기능이 약해지며 오래 두면 신경쇠약증과 함께 심장에 이상이 올 수 있다.

B. 요추신경이 약하기 때문에 생식기에 이상이 오는 체질이다. 혈압이 떨어지기 쉽고 장기능이 약하며 신경이 과민하여

신경쇠약증이 오기 쉽다. 이로 인해 간 기능까지 약해지고 신경을 쓰면 빈혈이 오기 쉽다.

C. 척추신경이 약하면서 생식기능이 떨어지기 쉬운 체질이다. 긴장하면 몸이 무겁고 대장이 약해지면서 혈압에 이상이 오기 쉬우며 몸에 땀이 많이 생긴다. 평소에 간 기능도 떨어지기 때문에 과로를 피하는 것이 좋다.

## 연치 26

A. 혈압에 이상이 오기 쉽고 요추신경이 약하며 호흡기나 심장 반응이 민감한 체질로서 땀이 많고 하복부가 불편할 때가 있으며 생식기 및 요추 등이 약해지기 쉽다. 또한 신경과민 및 신경성 장염이 올 수 있다.

B. 생식기능 및 요추신경이 약한 체질이다. 혈압에 이상이 오기 쉽고 대장 기능까지 약해지며 시간이 지나면 위하수 및 위염이 오기 쉽다.

C. 생식기관이 민감하면서 요추신경이 약해지기 쉬운 체질이다. 게으른 습관을 버리고 부지런한 생활을 해야 한다. 그렇지 않으면 혈압에 이상이 오기 쉽고 저항력이 떨어지며 위기능이 약화된다.

연치 27

A. 요추 및 하지 관절과 생식기능이 약하고 저혈압이며 하복부가 차고 습한 체질로서 방광 및 대장기능이 약하다. 신경이 과민하고 몸이 무겁고 피로를 잘 느끼며, 저항력이 떨어지면 신경성 대장염이 온다.

B. 요추신경 및 하지신경이 약한 체질이다. 혈압에 이상이 오기 쉽고 대장염을 동반하면서 관절기능이 약해진다. 또한 비장과 췌장이 약해지면서 내분비 결핍과 혈구생산이 잘 안되기 쉽다.

C. 척추와 요추신경이 약하고 하지, 관절도 약하면서 생식기능이 허약하거나 세균 등에 저항이 약한 체질이다. 혈압이 낮은 편으로 적혈구가 부족하기 쉽고 비장과 췌장기능도 떨어지기 쉽다. 음식을 고루 섭취하는 것과 부지런한 태도가 필요하다.

연치 28

A. 피부가 약하고 심장이 약한 알레르기성 과민체질로서 생식기와 관절이 좋지 못하고 두경부를 지배하는 동맥 및 혈관이 약한 편이기 때문에 시력을 비롯한 감각혈관이 약하다. 오래 두면 신경이 과민해지고 생식기능 및 척수가 약해지기 쉽다.

B. 뇌의 혈관이 좁거나 원활하지 못하여 감각혈관기능이 떨어지기 쉽고 정신이 가끔 맑지 못하다. 심장과 신장이 약한 편이며 피부가 약하고 알레르기성 특이체질이다. 시간이 지나면 요추신경까지 약해진다.

C. 알레르기성 체질인 동시에 특이체질에 속하고 피부나 관절기능도 약한 편이며 신장, 심장. 호흡기 등도 좋은 편이 아니다. 지나친 신경을 쓰면 요추신경에 자극이 가기 쉽고 장염을 일으키는 경우가 있다. 지방질 음식을 다량 섭취하면 경부조직에 염증을 유발하기 쉽고 신경쇠약증도 올 수 있다.

## 연치 29

A. 근육 및 관절, 피부 등이 약한 체질로서 알레르기성 체질에 속한다. 흉곽의 혈액순환이 잘 안 되는 경우가 있으며 이로 인해 심장 및 호흡기관, 근육조직 등이 약해진다.

B. 근육과 조직에 염증이 오기 쉽고 관절기능도 약한 체질이다. 혈액순환이 잘 안 되어 심장이 약해지기 쉽고 알레르기성 특이체질이다. 위기능도 약하여 신경성 소화불량이 오기 쉽다.

C. 근육과 관절이 약하고 신경성 위염을 자주 일으키기 쉬운 체질이며 알레르기 체질 및 특이 체질에 속한다. 또한 심장과 간 기능이 떨어질 우려가 있으니 항상 유의하는 것이 좋고 명랑한 생활습성을 갖는 것이 중요하다. 우울한 성격은

신경쇠약증을 동반한다.

연치 30

A. 골 및 관절이 약한 알레르기성 체질로서 신장 및 생식기계의 기능도 약한 편이고 척추와 내분비선 작용이 원활하지 못하다. 이로 인해 장기능 및 요추신경도 약해지기 쉽다.

B. 골, 관절이 약한 체질이며, 대동맥순환이 잘 안 되어 신장, 요추 등이 약하고 신경과민으로 신경쇠약증이 오기 쉽다. 감각신경 및 피부가 약하고 신경의 저항이 약한 알레르기성 특이체질이다.

C. 관절, 피부. 대동맥. 신장 등이 약하고 알레르기체질 및 특이체질에 속한다. 우유부단한 성격은 여러 가지 내분비 장애를 일으키기 쉽다. 과격한 성격을 조심하고 음식에 유의해야 한다. 그렇지 않으면 신경쇠약 및 당뇨 등을 동반하기 쉽다.

4장 쑥뜸하기

1) 쑥뜸 재료

쑥뜸에 필요한 재료는 약쑥, 쑥패드(천, 압축솜), 라이터, 누름판, 쑥성형틀이 있다. 이 재료는 쑥뜸을 하면서 익숙해지면 변형하거나 대체하여 사용할 수 있다. 앞으로 설명하는 쑥뜸을 잘 이해한다면 쉽게 여러 방법으로 응용하여 쑥뜸할 수 있다. 본질에 충실하고 원리를 이해하는데 집중하기를 바란다.

(1) 쑥

쑥은 뜸쑥으로 시중에서 간접 뜸용 쑥을 구매하여 사용하면 된다. 직접구용 뜸쑥은 쑥뜸에 적합하지 않다. 비용도 고가 일뿐 아니라 쑥뜸 시 열기도 많지 않아 효과가 많이 떨어진다.

쑥은 일반적으로 바닷가에서 나는 쑥(해풍 맞은 쑥)이 내륙에서 나는 쑥보다 좋다고 한다. 우리나라에서도 강화, 백령도, 당진, 태안 등 주로 바닷가 근처에 산지가 발달되어 있음을 봐도 알 수 있다. 또한 쑥은 오랫동안 묵을수록 좋은 쑥이라 하는데 이는 모든 약초에는 약성과 독성을 같이 갖고 있으며 이 독성은 시간이 지나면서 빠져나가고 약성만 남아 있게 되어 묵은 쑥을 좋은 쑥으로 평가하는 것이다. 소금도 오랫동안 간수를 빼는 과정에서 좋은 소금이 나는 이치와 같다.

보통 묵은 쑥과 햇쑥을 구별할 때는, 시각적으로 초록색을 띠면 햇쑥이고 갈색을 띠면 묵은 쑥이며, 냄새로는 햇쑥은 쑥향이 강하고 풀냄새가 나지만 묵은 쑥은 냄새가 잘 나지 않는다. 태워보면 햇쑥은 눈이 맵고 묵은 쑥은 눈이 덜 맵다.

쑥을 1년 이상 장기간 보관할 때는 바람이 잘 통하는 그늘진 곳에 보관하는 것이 좋으나 보통 시중에서 사서 1년 이내에 사용하는 쑥은 비닐봉지에 밀봉해서 습기가 스며들지 않게 하여 보관하고 직사광선을 피해서 보관해야 한다.


(2) 쑥패드

쑥 패드는 압축 솜이나 깨끗한 천을 사용한다. 쑥 패드는 크게 두 가지 용도로써 사용한다. 하나는 성형한 쑥을 올려 놓는 용도이다. 쑥뜸을 하다가 뜨거울 때는 잠시 피부에서 쑥을 떼었다가 다시 피부에 대고 눌러 쑥뜸을 한다. 이 과정에서 쑥 패드가 있어야만 몸에서 쑥을 뗄 수 있다. 또 다른 용도는 열기(熱氣)를 조절하는데 쓰인다. 성형된 쑥을 그냥 맨살 위에 사용하면 너무 뜨거워서 사용하기 힘들다. 쑥패드를 대어줌으로써 열기를 조절하여 주는 역할을 한다.

<쑥패드용 솜>                    <쑥패드용 천>

쑥을 성형할 때 방법에 따라 한번 사용한 쑥을 다시 재탕하여 쓸 경우가 있는데 이때 첫 번째보다 두 번째 재탕할 때는 좀 더 뜨겁기 때문에 쑥 패드를 한 두 장 더 대어주면 열기를 조절할 수 있다. 참고로 쑥 패드는 쑥물을 만들어 천이나 솜에 침윤시켜 건조 후 사용하면 더 효과가 좋다. (필자는 발효된 쑥으로 쑥물을 만든다)


(3) 토치라이터

토치라이터는 쑥에 불을 붙이는 용도로 사용하며 불을 붙일 쑥봉이 많을 때 적합하다. 쑥봉이 적을 때는 일반 라이터나 향을 사용하여도 무방하다. 토치라이터는 시중에서 구입하여 사용하면 된다.

(4) 누름판

쑥뜸은 성형된 쑥을 일정 부분까지 태운 다음 눌러 끈 후 피부에 대고 쑥뜸을 하는 요법인데 누름판은 쑥을 눌러 끄는 용도로 사용된다.

누름판은 보통 골판지나, 여러 겹을 덧댄 천을 사용한다. 골판지를 사용할 때는 골판지를 부드럽게 만든 후 골판지

사이에 천이나 솜과 같이 잘 구부러지는 재질을 넣어야 되고 천을 사용할 때도 충분한 두께를 갖게끔 만들어야 한다. 누름판 사이에 천을 넣는 이유는 손으로 전달되는 열을 어느 정도 차단해야 되기 때문이고, 부드럽게 하는 이유는 인체의 곡면 부분을 감싸주면서 눌러야 되기 때문이다. 그래야 열기가 빠져나가지 않는다.

누름판의 크기는 성형쑥을 충분히 감싸고 손바닥으로 누르기 좋은 규격이면 된다. 누름판과 쑥 사이의 열기가 빠져나가지 않게끔 하는 것이 중요하다.


## (5) 쑥성형(틀)

쑥뜸은 약쑥을 일정 모양으로 성형을 한 후에 쑥을 태워 사용해야 한다. 쑥을 성형하는 것은 손으로 빚어서 만들 수도 있고 일정 모양을 갖춘 틀을 사용할 수도 있다. 손으로 쑥을 빚어 사용하는 것은 반복하여 연습하면 누구나 할 수 있다. 쑥성형틀은 구매하여 사용할 수도 있고 적당한 모양을 갖춘 것을 구해서 사용할 수도 있다.

쑥을 성형할 때 주의할 점은 크기와 밀도가 비슷하여야 한다. 손으로 빚을 때 크기와 밀도를 비슷하게 만드는 반복 연습이 필요하다. 성형 틀에서 만들 때도 마찬가지로 쑥을 골고루 잘 펴서 밀도가 일정하고 균일하게 눌러주어야 한다. 크기와 밀도가 비슷하여야 쑥에 불을 붙일 때 일정하게 타들어 가고 쑥뜸을 할 때 특정부위가 더 뜨겁거나 덜 뜨거움을 방지함으로써 화상의 위험도 줄이고 효과도 높일 수 있다.

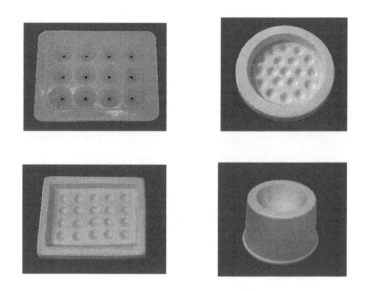

또한 성형 틀을 사용할 때 가장자리에 쑥이 모자라지 않게 채워주는 것이 중요하다. 쑥을 태울 때 가장자리의 쑥이 빨리 타들어가기 때문에 가장자리에 쑥이 부족하면 부족한 부분이 더 뜨거워지기 때문이다. 쑥 성형이 일정치 않으면 불을 잘 붙이고 잘 눌러 끈다 해도 쑥뜸이 제대로 될 수 없다. 처음에는 익숙하지 않으나 반복 연습하면 누구나 쉽게 만들 수 있다. 전자저울로 미리 무게를 재면서 사용하면 일정하게 만들 수 있다.

2) 쑥뜸하기

(1) 쑥 성형하기

쑥을 성형하기 전에 쑥 패드를 준비한다. 화상의 위험을 줄이기 위해서 쑥 패드를 대고 쑥뜸을 하는 것이 좋다. 불가피하게 쑥 패드를 사용할 수 없을 때는 쑥을 덜 태워 바닥의 쑥이 많이 남아 있도록 하여 사용할 수 있다.

쑥 성형을 손을 이용하여 빚는 방법은 일정량의 쑥을 떼어 손으로 삼각형(△) 모양으로 만들어 준다. 크기는 정해진 것은 없으나 보통 필자는 높이 1.5cm~3.5cm, 지름 1.5cm~3.5cm 정도로 한다. 치질이나 족저근막염처럼 국소부위를 쑥뜸 할 때는 높이 3.5cm~5.5cm 지름 3.5cm~5.5cm 정도까지 크게 만들어서 사용할 수 있다. 이때는 열이 많기 때문에 바닥의 쑥 패드는 한 두 장 더 대주는 것이 좋다. 바닥의 쑥 패드는 몇 장을 놓고 하느냐 보다는 느낌으로 너무 뜨겁다 생각하면 더 대놓고 사용한다.. 그리고 여기서 쑥의 크기는 참고용이기 때문에 수치에 너무 신경 쓰지 않아도 된다.

쑥을 성형하고 올려놓는 쑥 패드의 크기는 보통 7cm×

10cm 정도 되는데 처음에는 적은 개수부터 하다가 익숙해 지면 개수를 늘리는 것이 좋다.

　다음은 성형 틀을 이용해서 만드는 것이 있는데 성형 틀은 구입을 하거나 적당한 것을 찾아 사용해도 무방하다. 손으로 만들기가 힘들다면 성형 틀을 이용하면 편리하다.

　성형 틀을 사용할 때 주의할 점은 쑥이 골고루 밀도가 같게 펴주면서 살짝 눌러주어야 한다. 너무 세게 누르지 않는다. 세게 눌러 만들면 쑥이 딱딱해지고 쑥뜸 했을 때 너무 뜨겁기 때문이다. 그리고 가장자리에 쑥이 부족하지 않게 신경을 써야 한다. 그 이유는 불을 붙이고 쑥을 태우는 과정에서 가장자리는 쑥이 잘 타들어 가고 가운데는 잘 안 타기 때문에 가장자리만 타게 되어 자칫 쑥 패드를 태우게 되고 결국 쑥뜸이 제대로 되지 않는다.

(2) 불 붙이기

성형된 쑥을 쑥 패드 위에 올려놓고 토치라이타로 쑥에 불을 붙인다. 토치라이터를 사용할 때 반드시 주의할 점은 주위에 가연 되는 물건을 모두 치운 후 불을 붙인다. 쑥에 불을 붙일 때 위에서 아래로 불을 붙이지 않고 비스듬히 가장 윗부분만 불이 붙도록 한다. 쑥은 의외로 바로 불이 붙질 않기 때문에 몇 차례에 걸쳐 골고루 가장 윗부분만 불이 붙도록 주의하면서 불을 붙인다.

불이 엉뚱한 곳 (예를 들어 밑 부분)에 불이 붙었을 경우에는 물을 살짝 묻혀 갖다 대주면 불이 꺼진다. 물을 많이 사용하지 않도록 주의한다.

불이 붙은 쑥은 골고루 타들어 가도록 입으로 살살 불어주며 태운다. 쑥이 80~90%까지 탈 때까지 쑥을 태운다. 쑥을 입으로 불어주면서 태울 때 너무 세게 불지 않도록 한다. 너무 세게 불면 겉 표면만 타들어 가고 쑥 안쪽으로는 타들어 가지 않기 때문에 겉으로 볼 때 거의 탄 것처럼 보이지만 실제로는 겉에만 타들어 갔기 때문에 쑥뜸을 해도 뜨겁지 않다.


(3) 눌러끄기

쑥이 80~90%까지 타들어 갔으면 준비된 골판지로 살짝 덮은 상태로 환부에 갖다 대고 누른다. 이때 골판지를 덮은 쑥을 너무 오래 들고 있지 말고 바로 환부에 갖다 대야 한다. 골판지로 누른 순간부터 불은 꺼지기 때문이다. 환부에 대고 누를 때 힘을 조금 세게 주고 누르고, 누르는 힘은 일정하게 유지하여 열기가 골판지와 쑥 사이에서 빠져나가지 않도록 주의하여야 한다. 골판지로 눌렀을 때는 쑥의 불은 꺼진 상태고 열기만 남은 상태여서 이 열기를 온전히 몸에 들인다는 생각으로 눌러 주어야 한다.

 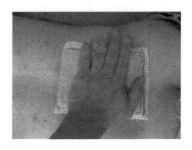

보통 처음 누르고 5~10초쯤 되면 뜨거워서 한번 떼어주어야 하는데 이때 골판지와 쑥 사이가 들뜨지 않게 즉, 열기가 빠져나가지 않게 주의하면서 양손으로 맞잡고 떼어준다.

이를 몇 번 반복하면 뜨겁지만 참을 정도가 되는데 이때 호흡을 가다듬고 일정한 힘으로 눌러 주면서 열이 식을 때까지 눌러준다. 뜨거움을 너무 오래 참지 않는 것이 좋다.

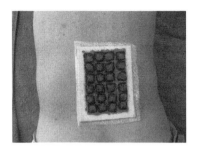 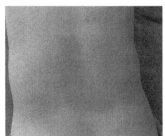

## (4) 재탕하기

손으로 성형한 쑥으로 쑥뜸을 할 때는 다시 한번 재탕하여 사용하기가 쉽지 않지만 성형 틀을 이용하여 쑥뜸을 한 경우에는 다시 한번 더 사용할 수가 있다. 80~90%까지 쑥을 태웠다고 생각되지만 실제로는 쑥이 많이 남아 있는 상태가 된다. 즉, 바깥쪽은 많이 탄 것 같지만 가운데는 생각보다 덜 탄 상태이다.

쑥뜸을 하고 난 후 그 상태에서 토치라이터로 검게 탄 쑥
부위에 불을 붙이면 불이 붙는다. 불을 붙인 후 입으로 바람
을 살살 불면서 검게 탄 부분이 전체적으로 발갛게 타들어
갔을때 눌러 꺼서 환부에 대고 쑥뜸을 반복한다. 이렇게 재
탕을 해도 바닥의 쑥이 남아 있어야 한다.

3) 쑥뜸 순서

쑥뜸을 하는 데 있어 쑥뜸의 순서는 기본적으로 위에서
아래로 쑥뜸을 하고 가운데서 가장자리로 하는 것이 원칙이
다.

예를 들어 당뇨병 (쑥뜸 부위집 참조)을 쑥뜸 할 경우 앞
면을 먼저 하고 뒷면을 먼저 하고는 중요하지 않다. 앞면을
먼저 할 경우 ①, ②를 먼저 하고 ③, ④, ⑤를 한다. 뒷면도
⑥, ⑦먼저 한 후 ⑧, ⑨, ⑩을 한다. 예외적으로 혈압 약을
먹지 않은 고혈압 환자(혈압이 높은 사람)는 배꼽 아래 부위
(아랫배, 등, 엉덩이, 다리)부터 한 후에 위로 올라가서 쑥뜸

을 해야 된다. (혈압 약을 먹고 정상 혈압인 경우는 제외)

몸의 중심부터 가장자리로 하는 경우는 아랫배를 쑥뜸 할 때 오른쪽 먼저인지 왼 쪽 먼저인지는 중요하지 않으므로 어느 쪽을 먼저 해도 무방하다.

보통 여러 질병을 동시에 치료하고자 할 때는 가장 불편한 질병부터 먼저 하는 것이 좋다. 예를 들어 소화불량, 고혈압, 불면증이 동시에 있는 사람이 있다면 이중 제일 불편한 부분부터 먼저 쑥뜸을 해서 증상을 완화시킨 후 다음 질병을 치료하는 것이 좋다. 질병은 하나씩 해결하는 게 동시에 모든 질병을 해결하려고 하는 것보다 효과가 좋다. 보통의 경우 자각증상이 심한 것부터 하는 것이 좋다.


4) 쑥뜸 횟수

쑥은 우리 몸에 부작용이 없다는 것이 가장 큰 장점이다. 쑥뜸도 마찬가지로 화상 입는 것만 조심하면 기본적으로 부작용은 없다. 하지만 암환자 중에 방사선 치료를 받고 있다면 치료 중에는 쑥뜸은 피해야 한다. 백혈병의 경우도 비정상 백혈구의 수치가 활성화되어 있기 때문에 의사와 상담하는 것이 좋다. 이는 쑥뜸의 부작용이 아니라 방사선 치료의 주의사항과 백혈병의 특수성에 의한 것이다. 이렇듯 쑥뜸은 자체로써 부작용보다는 자신의 질병의 주의사항에 열을 가하면 안 되는 질병이나 치료과정이 있다면 이는 의사와 상의

하고 문의한 후에 쑥뜸을 해야 한다.

　쑥뜸은 많이 할수록 좋다. 하지만 너무 지칠 때는 잠시 쉬었다가 하는 것도 좋다.
　염증성, 종양성 질환은 환부에 직접, 집중적으로 많이 해줄수록 효과가 좋은데 이는 쑥뜸의 특성 중에 하나이다. 가령 발목을 삐었을 때 일반적으로 온찜질은 피해야 된다고 하지만 쑥뜸은 예외다. 발목을 삐었을 때 바로 쑥뜸을 하면 효과가 상당히 빠르다. 한번 쑥뜸 한 것과 두 번 쑥뜸 한 것의 효과가 다르다. 화상에 주의하면서 여러 번 반복하여 쑥뜸을 하게 되면 제염이 급속도로 이루어지면서 발목이 편안해지는 것을 느낄 것이다. 질병 이름에 '○○염'이라는 질병명은 모두 염증성 질환이다. 예를 들어 위염, 대장염, 방광염, 신장염, 관절염 등은 모두 염증성 질환이다. 이런 질환은 해당 염증 부위에 쑥뜸을 집중적으로 많이 해주면 제염의 속도가 무척 빠르다.

　고마쑥뜸은 얼마동안 쑥뜸을 하였는지의 시간적 흐름보다는 얼마만큼 많이 쑥뜸을 했느냐가 더 중요하다. 가령 일주일에 두 번 쑥뜸을 하고 한 달이 지났다면 쑥뜸은 8번 한 셈이다. 하지만 한 달 동안 일주일에 5일을 쑥뜸하고 한번 할 때 한 부위에 3번씩 하루에 두 번 했다면 $3 \times 2 \times 5 \times 4 = 120$번 한 셈이다. 같은 한 달을 해도 쑥뜸의 횟수가 다르기 때문에 효과도 다르게 나타난다.

　보통 급성질환이 만성질환보다 치료가 빠르다. 쑥뜸에서는 급성질환일수록 집중적으로 해주는 것이 중요하다. 만성질환은 아무래도 오랫동안 치료를 해야 되기 때문에 집중적으로 많이 하는 것도 좋지만 꾸준히 하는 것에 초점을 맞추고 쑥뜸을 하기 바란다.

어떤 질병은 쑥뜸을 할수록 몸의 변화를 바로 느낄 수 있는 질병(대체로 통증이 있는 질환)이 있고 어떤 질병(비염증성질환 즉, 치매, 통증이 없는 암등)은 시간이 지나야 조금씩 좋아지는 질병이 있다. 병의 특성과 본인의 체질에 따라 몸으로 느끼는 것이 조금씩 다를 수 있지만 꾸준히 하면 반드시 좋아질 것이다. 특이한 경우 쑥뜸을 하면 몸이 더 안 좋아지는 걸 느낀다면 쑥뜸을 멈추고 의사에게 문의하는 것이 좋다. 쑥뜸을 하면 반드시 몸에서 먼저 알아진다. 쑥의 효능을 믿고 꾸준히 하면 좋은 결과가 있을 것이다.


## 5) 화상

쑥뜸을 하다 보면 너무 뜨겁거나, 오래 참아 화상을 입는 경우가 있다. 그리고 특수한 부위 가령, 팔꿈치 어깨 등 곡면이 심한 부분에서 화상을 입는 경우가 있는데 위에서 말한 너무 뜨거운 것을 억지로 참거나, 참을 만해서 오랫동안 떼지 않고 있으면 화상을 입는다. 쑥뜸을 할 때 쑥을 너무 많이 태워서 쑥패드가 타지 않도록 주의해야 하고 뜨겁다고 느끼지만 참을 정도인 경우 1분이 넘지 않도록 쑥뜸 중간에 한 번씩 떼어 주고 환부에 바람을 불어 주거나 손으로 만져서 열을 식혀주는 것이 좋다. 사람의 피부에 따라 상당히 다른데 보통 피부가 약하다고 생각하면 처음에는 약하게 하다 점점 온도를 높이고 시간을 늘리면서 익숙해지는 것도 필요하다.

혹시 쑥뜸을 하다 물집이 생긴 경우라면 물집을 터뜨리는 것은 상관없는데 환부에 반창고 등으로 붙이지 않도록 하는 것이 좋다. 그것은 몸 안의 열기가 빠져나가지 않아 2차적으로 화상을 악화시키는 결과를 낳는다.

쑥뜸을 하고 난 뒤 화끈거리거나 쓰리고 따끔거리는 느낌이 있으면 차가운 물을 천에 적셔 환부에 대거나 얼음을 환부에 갖다 대고 화기(火氣)를 빼주는 것이 좋다. 그리고 물집이 터진 곳에 생 쑥을 붙여 놓는 것도 좋은 방법이다. 화상은 감염이 위험한데 쑥은 항균작용을 하기 때문에 탈이 나지 않는다.


6) 쑥뜸 하기 전에

(1) 쑥뜸을 하기 전에 몸을 편안한 상태가 되도록 휴식을 취한 다음에 안정된 상태에서 쑥뜸을 한다.

(2) 쑥뜸을 하는 중에는 몸에 힘을 빼야 된다. 뜨거움을 참는 과정에도 몸에 힘을 주지 않도록 주의한다. 몸에 힘이 들어가면 근육이 경직되어 쑥뜸의 효과가 떨어지기

때문이다.

(3) 쑥뜸 중에는 잡담을 금하고 쑥뜸에 집중하여야 한다. 쑥의 기운이 내 몸에 들어오는 것에 집중을 할 때 효과가 더 좋다.

(4) 쑥뜸을 하면 명현현상이 올 수 있다. 이것은 몸이 좋아지기 전에 일시적으로 오는 증상이다. 보통 2~3일에서 길게는 15일 정도 갈 수도 있지만 15일 이상의 기간이 지나도 호전되지 않으면 명현현상이 아닐 수 있으므로 병원에 가는 것이 좋다.

(5) 명현현상 (호전반응, 뜸 몸살)
    - 열이 나고 오한이 나며 음식 먹기가 힘들어진다.
    - 근육통이 온다.
    - 과거에 아픈 곳이 다시 아파온다.
    - 안 아프던 곳이 아파온다.
    - 아픈 곳이 더 아파온다.

(6) 명현현상이 왔을 때는 쑥뜸을 잠시 멈추고 명현현상이 가라앉을 때 까지 쉬는 것이 좋다.

(7) 다음 환자는 쑥뜸 하기 전에 문의하기 바란다.
    - 마비 환자.
    - 기준미달의 저체중 환자.
    - 심한 당뇨병 환자.

- 임신 중인 사람
- 10세 미만인 사람
- 말기 암환자
- 암 환자중 방사선 치료를 받고 있는 사람
- 백혈병 환자

# 5장 질병별 쑥뜸 부위

| | | | |
|---|---|---|---|
| 1 | 간 질 환 | 26 | 백내장, 녹내장 |
| 2 | 감기몸살 | 27 | 변     비 |
| 3 | 갑상선 질환 | 28 | 부 정 맥 |
| 4 | 강직성 척추염 | 29 | 불 감 증 |
| 5 | 갱년기 장애 | 30 | 불 면 증 |
| 6 | 결석(신장,방광,요로) | 31 | 불     임 |
| 7 | 고 혈 압 | 32 | 비     만 |
| 8 | 골 수 염 | 33 | 비     염 |
| 9 | 공황장애 | 34 | 빈     혈 |
| 10 | 관 절 염 | 35 | 삼차신경통 |
| 11 | 급     체 | 36 | 생 리 통 |
| 12 | 기관지염 | 37 | 성대 결절 |
| 13 | 기     침 | 38 | 소아 경기 |
| 14 | 냉대하증 | 39 | 소아 편식 |
| 15 | 뇌성마비, 소아마비 | 40 | 소장 장애 |
| 16 | 뇌 졸 중 | 41 | 손목터널증후군 |
| 17 | 담 석 증 | 42 | 수족냉증 |
| 18 | 당 뇨 병 | 43 | 신장 질환 |
| 19 | 대 장 염 | 44 | 심장 질환 |
| 20 | 동맥경화 | 45 | 십이지장염 |
| 21 | 두     통 | 46 | 아토피성 피부염 |
| 22 | 맹 장 염 | 47 | 안구건조증, 비문증 |
| 23 | 목디스크 | 48 | 안면 마비 |
| 24 | 미     용 | 49 | 알레르기성 체질 |
| 25 | 방 광 염 | 50 | 암 |

51 야 간 뇨
52 야 뇨 증
53 어깨통증
54 여 드 름
55 염    좌
56 요 도 염
57 요 실 금
58 우 울 증
59 위염, 위궤양
60 임파선염
61 자가면역질환
62 자 폐 증
63 저 혈 압
64 전 립 선
65 정력 감퇴
66 조 현 병
67 좌골신경통
68 중 이 염
69 쥐(국소성 근육경련)

70 천    식
71 췌 장 염
72 치질, 치루
73 코골이,수면무호흡증
74 탈    모
75 통    풍
76 팔꿈치 통증
77 패 혈 증
78 편도선염
79 폐 질 환
80 피 부 병
81 하 지 통
82 해    열
83 허리디스크, 협착증
84 허약체질
85 화    병
86 흉터(수술, 화상)
87 단방으로 하는 쑥뜸

# 1. 간 질 환

　간경화, 간염은 쑥뜸 부위가 같다. 간암의 경우는 '암'을 참고하기 바란다. 급성의 경우 1개월, 만성의 경우 6개월이면 효과를 볼 수 있다. 초기에 복수가 찬 사람도 가능하다.

　쑥뜸 기간 중에는 특히 술을 금하고 정신적, 육체적으로 무리를 하지 않는 것이 좋다.

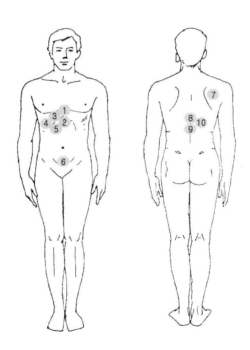

## 2. 감기몸살

감기는 우리 몸의 면역력이 떨어지면 면역력을 올리기 위해서 즉, 몸이 살기 위한 일종의 삶의 과정으로 보지만 바이러스에 의한 독감의 경우는 다르다. 독감의 경우 시일이 늦어지면 호흡기, 심장, 뇌 등에 합병증세가 오게 되며 다른 합병증을 유발한다.

감기에 걸린 초기에 바로 쑥뜸을 하면 감기는 더 이상 진행되지 않는다. 아래 그림은 초기 감기에 대한 부위이고 이미 감기가 걸린 상태에서 기침이나 다른 증세가 있다면 그 부위에 쑥뜸을 하면 된다. 목이 아프면 목에 쑥뜸을 해주고 기침을 하면 기관지염 쑥뜸 부위에 해주면 된다. 쑥뜸을 하면 고열이나 폐렴 등으로 진행되지 않고 서서히 좋아진다. 평소에 쑥뜸을 하면 감기에 잘 걸리지 않는다.

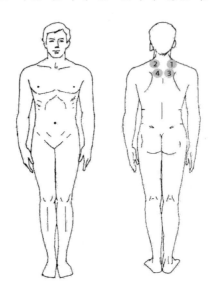

# 3. 갑상선 질환

갑상선 기능 저하증, 갑상선 기능 항진증, 갑상선염등 갑상선질환의 쑥뜸 자리는 같다.

갑상선(샘), 갑상선 자극 호르몬, 자가면역질환 등의 원인으로 발생하는 질병으로 원인에 따라 치료기간은 상당한 차이를 보인다. 단순 갑상선염은 효과가 빠르고 자가면역질환이 원인인 것은 오랜 기간 쑥뜸을 하여야 한다. 자가면역질환을 참조한다.

갑상선암의 경우는 직접 그 자리(①의 부위)에 반복적, 집중적으로 쑥뜸을 하여야 한다.

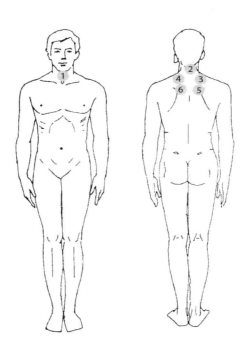

## 4. 강직성 척추염

강직성 척추염은 일종의 관절염으로 척추에 생기는 염증으로 인해 통증이 발생한다. 아침에 자고 일어날 때 통증이 심하다가 활동하면서 통증이 줄어드는 게 특징이다.

병의 경중과 체질 등 사람마다 효과가 나타나는 시기는 다를 수 있으나 발병 초기에 쑥뜸을 하면 빨리 효과를 볼 수 있으며 증상이 심한 경우에도 꾸준히 하면 효과를 볼 수 있다. 아래 그림의 쑥뜸 부위 외의 골반이나 어깨 등 통증이 있는 곳은 통증이 있는 곳에 직접 하는 것이 좋다.

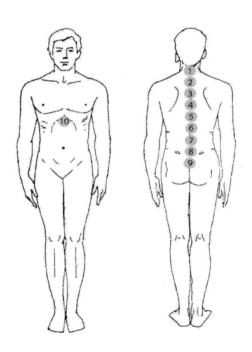

## 5. 갱년기 장애

갱년기 장애는 보통 폐경기의 여성에게서 나타나는 여성 호르몬 변화에 따른 불편한 증상을 총칭해서 일컫는 말로 혈액순환, 가슴 두근거림, 홍조, 우울감, 수면장애 등 여러 증상들이 나타난다. 보통 3개월에서 6개월 정도면 좋아진다.

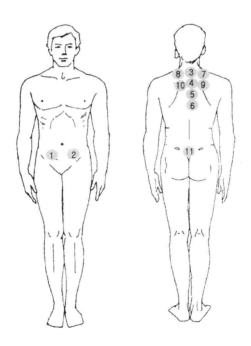

## 6. 결석(신장, 요로, 방광)

　원인은 물질대사장애, 내분비장애, 염증 등의 여러 요인이 있다. 신장, 방광, 요로에 결석(돌)이 생기는 것으로 신장과 방광결석은 통증이 없을 수 있으나, 요로결석은 옆구리에 상당한 통증을 유발한다. 결석이 생긴 신장과 방광, 요로에 집중적으로 쑥뜸을 하면 좋아진다. 특히 요로결석은 요관이 신장에서 방광에 걸쳐 있기 때문에 통증이 있는 곳에 직접 해주면 통증이 멎는다.

　①, ②는 방광결석, ③, ④는 신장결석, ⑤, ⑥은 요로결석의 쑥뜸 자리이다.

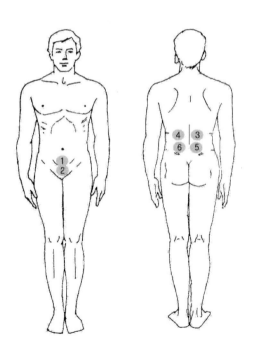

# 7. 고 혈 압

고혈압은 주로 체질적으로 오는 경우가 많고 장부의 크기와 혈관의 밸런스 부조화와 만성 염증 등이 원인이라고 본다. 고혈압은 본태성, 신경성, 신장성 등 여러 원인이 있다.
아래 그림은 본태성 고혈압의 쑥뜸 부위이고 신경성은 불면증, 신장의 원인으로 인한 고혈압은 신장병 등을 참고하여 쑥뜸 한다.

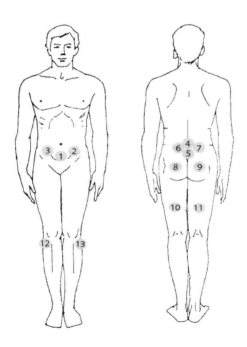

# 8. 골 수 염

골수염은 체질적으로 오는 것이 많으며 일종의 특이체질
이나, 원인은 뇌 중추나 내분비선 중추가 잘못되어 발생하며,
대체로 2~3개월이면 효과를 본다

아래 그림에서 환부는 표시하지 않았다. 다만 골수염의 원
인치료에 도움을 주는 자리이고 쑥뜸 시에는 골수염 환부를
먼저 하고 다음으로 아래 그림의 쑥뜸 부위를 한다. 환부 부
위는 집중적으로 하는 것이 좋다.

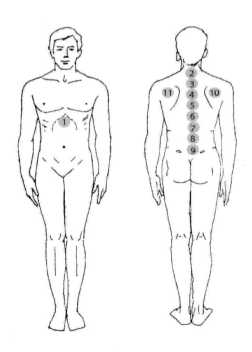

## 9. 공황장애

공황장애는 지속적인 스트레스와 체질적인 요인 등에 의해 발병된다고 알려져 있다. 이는 자율신경실조로 인해 교감신경이 흥분된 상태를 말한다.

죽을 것 같은 두려움과 공포가 주된 증상이며, 심박동 증가, 호흡곤란, 실신할 것 같은 느낌 등 다양한 증상을 겪게 된다.

그림과 같이 쑥뜸을 하면 3개월~6개월이면 많이 호전되며 완치될 때까지 꾸준히 쑥뜸을 하는 것이 중요하다.

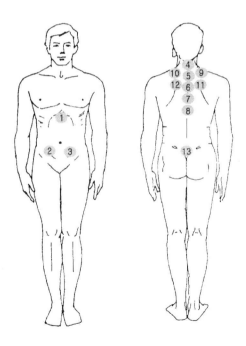

# 10. 관 절 염

　관절염은 아픈 부위를 집중적으로 쑥뜸 하면 좋아지지만 류마티스성 관절염은 원인 치료가 중요하다. 원인인 자가면역질환도 함께 치료하여야만 된다. (자가면역질환 참조)

　관절염(퇴행성 관절염포함)은 통증이 있는 부위를 집중적으로 쑥뜸 하는 것이 중요하다. 화상을 입지 않도록 주의하며 통증은 찌르는 느낌, 베는 느낌에서 쑥뜸을 할수록 둔탁한 느낌으로 바뀌는데, 이는 좋아진다는 증거이므로 꾸준히 하는 것이 중요하다. 무릎에 물이 차는 경우도 쑥뜸을 하면 효과를 볼 수 있다. 인공관절 수술 후의 통증은 의사와 상담 후에 쑥뜸 하는 것을 권장한다. 손목이나 손가락관절염도 아픈 부위에 쑥뜸을 하면 된다. 아래 그림은 손목, 손가락, 무릎을 모두 표시하였다.

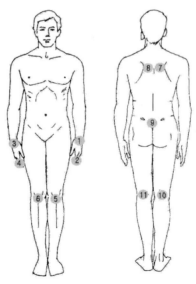

## 11. 급  체

　갑자기 체했을 때는 우선 양 엄지손가락 가운데를 채혈기
로 채혈 후에 쑥뜸을 한다. 명치를 눌렀을 때 아픈 부위가
느껴지는데 그 부분을 3~4회 집중적으로 쑥뜸을 하면 30분
내에 체기가 가라앉는다.

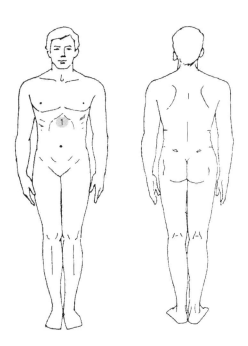

# 12. 기관지염

급성기관지염이나 만성기관지염의 쑥뜸 부위는 같다. 세균이나 바이러스에 의해 기관지에 염증이 생기면서 기침과 가래가 생긴다. 급성 기관지염을 제때에 치료하지 못하면 만성으로 진행한다.

쑥뜸은 아래 그림과 같이 하면 된다. 경미한 증상일 경우 앞의 ①, ②부위만 해도 효과를 본다. 하지만 증상이 심하면 등 뒤까지 모두 해야 한다.

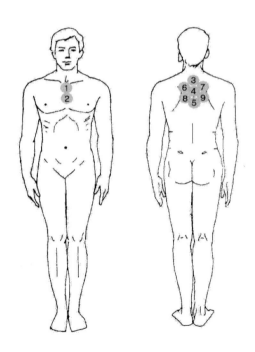

# 13. 기　침

　기침은 여러 원인에 의해 생길 수 있는 증상이며, 감기,
천식, 콧물, 위산 등과 연관성이 있지만 병원에 가도 특별히
원인을 알 수 없는 경우는 대부분 호흡을 담당하는 중추신
경에 문제가 있어 기관지의 기능이 저하되었을 때 생기는
경우가 많다.
　그림과 같이 쑥뜸을 하면 된다. 하지만 심한 경우는 기관
지염의 쑥뜸 자리를 참고한다.

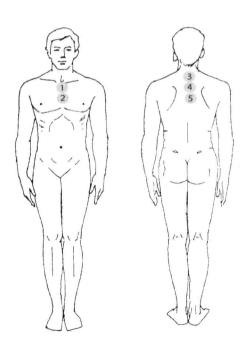

## 14. 냉대하증

  냉, 대하는 여성의 질 분비물로써 누구나 생기는 자연스러
운 증상이나 이것이 불편함을 느낄 정도라면 치료를 해야만
된다.
  아래 그림대로 쑥뜸을 하면 되는데 질염이나 가려움증이
있을 때는 생식기에 직접 쑥뜸을 하는 것도 좋다.

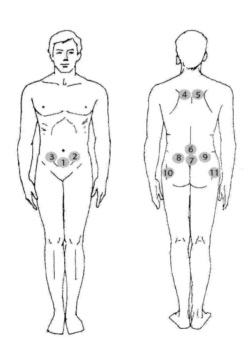

## 15. 뇌성마비, 소아마비

　뇌성마비는 태아일 때나 영아일 때 뇌손상을 입음으로써 발생하는 뇌병변의 일종으로 진행성은 아니나 회복이 어려운 질병이다. 쑥뜸은 어릴 때 할수록 효과를 더 많이 본다. 보통 3세 이전에 쑥뜸을 하면 효과를 많이 보지만 그 이후라도 재활의 의미로써도 쑥뜸을 하면 좋다.

　소아마비는 세균에 의한 감염으로 뇌와 척수의 중추신경계에 손상을 입어서 발생하지만 모두 마비가 생기는 것은 아니다. 요즘은 예방접종으로 많이 발생하지는 않는다. 쑥뜸 부위는 뇌성마비와 같다.

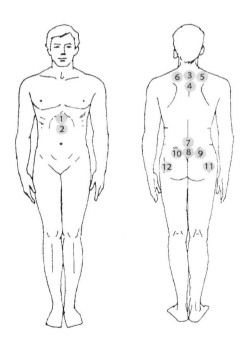

# 16. 뇌졸중

뇌혈관이 막혀서 발생하는 뇌경색, 뇌혈관이 터져서 발생하는 뇌출혈을 말한다. 발병한 지 1개월 이내면 효과가 빠르다. 아래의 그림은 왼쪽으로 마비와 왔을 때를 가정하여 그린 그림이다. 오른쪽으로 마비가 왔다면 오른쪽으로 쑥뜸을 하면 된다. 그림에서 ⑤~⑫인 척추를 중점적으로 많이 해야 효과가 좋다. 마비가 되어 경직되어 있는 팔과 다리는 직접 경직된 관절에 쑥뜸을 해주면 재활에 도움이 된다. ②~④는 뇌혈관 순환에 도움이 되는 쑥뜸 부위이다.

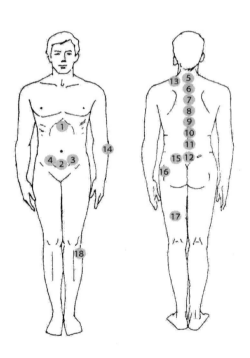

# 17. 담 석 증

담석은 일종의 담즙의 찌꺼기로 담즙 성분의 부조화나 담낭의 기능이 떨어지면 생기는 것으로 알려져 있다.

아래 그림대로 쑥뜸을 하면 된다. 간 기능의 저하는 간질환을 참고하기 바란다.

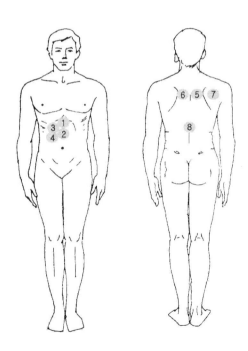

# 18. 당 뇨 병

뇌의 내분비선 중추기관에 이상이 있다고 본다. 당뇨환자
는 음식에 특히 신경을 써야 하며 쑥뜸을 꾸준히 하면 당조
절에 많은 효과를 볼 수 있으며 1년 이상 쑥뜸을 하면 대단
히 좋아진다. 전체 혈당조절은 ⑥~⑩을 위주로 하고 공복혈
당 조절은 ①~⑤를 하되 ①~⑤는 공복에 하여야 한다. 식
후에 바로 쑥뜸을 하게 되면 소화가 잘되어 일시적으로 당
이 더 오를 수 있기 때문이다.

당뇨병 환자는 상처가 잘 아물지 않기 때문에 쑥뜸시 화
상에 주의하여야 한다.

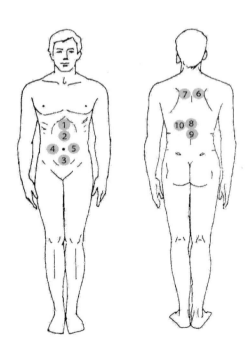

# 19. 대 장 염

감염성 대장염이든 비감염성 대장염이든 치료 부위는 같다. 급성대장염은 보통 복통과 설사를 동반하는데 3일 이내에 효과를 보며, 만성 대장염은 아랫배가 항상 차고 생식기가 습하며 차갑다. 머리가 무겁거나 땀이 많으며 수족이 냉하고, 허리와 다리가 약하거나 잘 삐는 편이다. 특히 변이 묽거나 변비가 있는 사람 또는 설사와 변비가 교대로 오는 사람들이다. 장이 나쁘면 혈압에 이상이 올 수 있다. 대체로 1~2개월이면 좋아진다. 신경성 대장염은 '탈모' 란의 쑥뜸 부위 중 ③~⑨부위를 같이 쑥뜸 해주어야 한다. 대장염은 그림과 같이 쑥찜을 하되 ①~③을 집중적으로 한다. 크론병은 자가면역질환 쑥뜸부위와 병행하는 것이 좋다

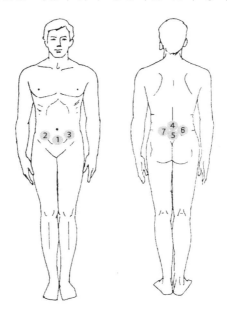

## 20. 동맥경화

　동맥경화는 주로 체질적 원인과 육식, 가공식품, 스트레스, 음주, 흡연을 많이 하는 사람에게 오는 경우가 많다. 동맥경화의 특징은 일차적으로 심하면 뇌출혈과 비슷하여 쓰러지고 다시 재발하는 것이 특징이므로 3차로 쓰러지기 전에 치료하여야 한다.

　동맥경화는 동맥혈관이 좁아져서 생기는 질병으로 심혈관, 뇌혈관 등 어디서도 발생할 수 있어 예방 및 치료가 중요한 질병이다.

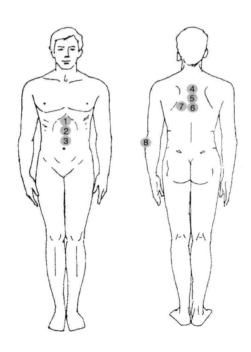

# 21. 두 통

두통은 그 원인이 다양하기 때문에 우선 병원 진료를 통해 그 원인을 찾아내는 것이 우선이다. 두통의 종류는 신경성, 고·저혈압, 심장성, 위장, 신장성 등 원인이 다양하다. 아래 그림은 뇌혈관 순환이 잘 안 되거나 신경성 또는 감각기에 문제가 왔을 때 생기는 두통을 표시하였다. 편두통도 아래 그림을 참조하여 쑥뜸을 하면 된다.

그림에서 ④∼⑨가 중요하며, 편두통은 ④, ⑤를 집중적으로 하면 된다.

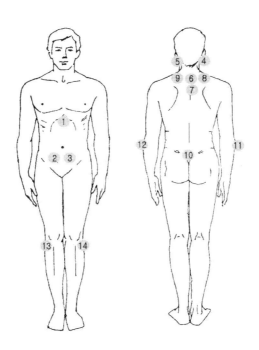

# 22. 맹 장 염

　만성 맹장염의 경우 뚜렷한 자각 증상이 없다. 오른쪽 발목을 자주 삐는 사람, 또는 오른쪽 다리가 무거운 사람, 맹장 부위가 가끔 자각을 느낄 정도로 따끔거리는 사람은 1개월이면 좋아진다.

　반면 급성 맹장염은 증세를 쉽게 알 수 있다. 갑자기 오른쪽 배에 복통이 나고 오른쪽 다리가 부자연스럽게 된다. 몇 시간 지나면 복부 전체가 아프다. 급성 맹장염의 경우 먼저 병원에 가서 진료를 받고 치료를 받는 것을 권장하나 부득이 쑥뜸을 하여야 하는 경우라면 아래의 그림대로 하되 맹장부위를(②, ③) 집중적으로 하면 제염이 되면서 통증이 멎는다.

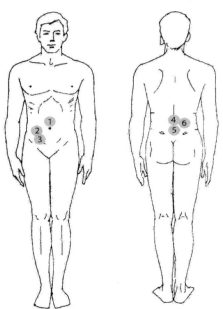

## 23. 목 디스크

목 디스크는 팔이 저리고 목이 불편하고 당기며 아프다. 급성의 경우는 3주 내에 좋아지고 통증은 일주일 정도면 좋아진다. 통증이 심한 부위를 먼저 하고 그림의 순서대로 한다.

단 목뼈에 이상이 있는 경우는 예외이다. 또 혈압이 높은 경우 혈압 약을 복용하여 혈압이 높지 않은 상태에서 쑥뜸을 하여야 한다. 혈압을 먼저 체크한 후에 혈압이 높지 않음을 확인하는 것이 중요하다.

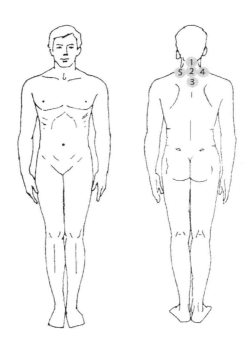

# 24. 미 용

노화방지 또는 다시 젊어지는 최대비결은 건강을 되살리는 데 있다. 즉, 미용과 직접 관련되는 변비, 소장이상, 대장질환, 신장장애, 당뇨, 저혈압, 고혈압, 정신적 스트레스, 월경불순, 혈액순환장애 등 각종 장기의 질병에서 해방됨으로써 신진대사가 활발해지며 비만증도 없어지고 젊고 탄력 있고 희고 윤택한 피부를 되찾을 수 있다. 미용을 목적으로 할 때는 제일 나쁜 장기부터 차례로 고쳐나가다 보면 3~6개월 후에는 몰라볼 정도로 피부 개선 효과를 보게 될 것이다. 병이 심한 사람은 회복하는데 시간이 더 걸릴 수 있다.

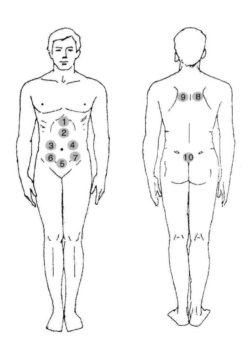

# 25. 방 광 염

방광염의 종류도 혈뇨가 나오는 것과 오줌이 잘 안 나오는 것, 오줌이 계속 새는 것이 있다. 보통 오줌이 잘 안 나오거나 방광이 무기력해지는 것은 그림대로 하고, 피가 섞여서 나오는 것은 일단 수뇨관 혹은 신우 방광 부근의 모세혈관이 터진 것으로 본다. 방광의 위치는 치골 아래에 있기 때문에 쑥뜸을 할 때 (① 부위) 아래쪽으로 밀면서 눌러 주어야 한다. ②는 치골의 위치이다.

급성이든 만성이든 치료는 그림과 같이 하고 ①, ②를 집중적으로 한다. 급성일수록 빠르지만 보통 일주일에서 한 달이면 많이 좋아진다.

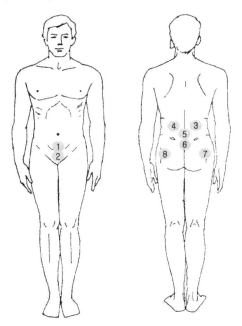

# 26. 백내장, 녹내장

 아래 쑥뜸 자리는 백내장, 녹내장뿐 아니라 황반변성, 결막염도 포함된다. 안과질환은 먼저 병의원에 내원해서 정확한 원인을 아는 것이 중요하다.

 ⑥, ⑦은 눈을 지긋하게 감은 상태에서 쑥뜸을 한다. ④, ⑤는 귀밑의 삼차신경자리이며 눌렀을 때 아픈 곳이다.

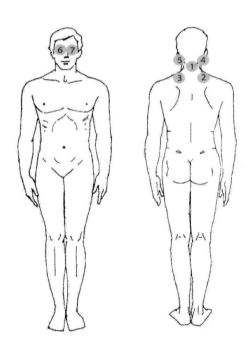

# 27. 변  비

보통 하루에 한 번 배변을 보는 것이 정상이나 배변을 4일 이상 못 보는 경우를 일반적으로 변비라 부른다.

변비는 기저질환이 있거나, 약물에 의한 부작용, 장 기능 저하에 의해 생기는 경우가 보통이다. 어떠한 경우든 쑥뜸으로 효과를 볼 수 있으며 아래 그림과 같이 쑥뜸을 하면 된다.

아래 그림에서 ①, ③이 중요자리이며 이곳을 세게 누르면 통증이 오면서 딱딱해진 장을 느낄 수 있다. 쑥뜸을 하면서 이곳을 풀어준다는 느낌으로 세게 누르면서 쑥뜸을 하는 것이 좋다.

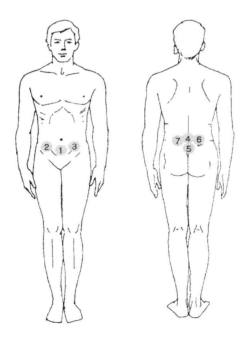

# 28. 부 정 맥

　부정맥은 심장의 수축과 이완을 담당하는 전기신호체계의 이상으로 인해 심장박동이 불규칙한 것을 말하며, 맥박을 재었을 때 강하고 탄력이 있어 뚜렷이 잡히는 강맥과, 맥이 잘 안 잡히는 약맥이 있는데 강맥은 뇌신경과 내분비선의 이상으로 생기는 부정맥이고, 약맥은 순환기(심방, 심실, 관상동맥 등) 문제인 부정맥으로 나뉜다. 아래 그림은 강맥인 뇌신경과 내분비선의 문제일 경우의 쑥뜸 자리이며 약맥인 순환기 문제는 '심장질환'을 참고한다.

　약 1개월에서 3개월이면 증상이 가라앉고 6개월에서 1년이면 많이 좋아진다.

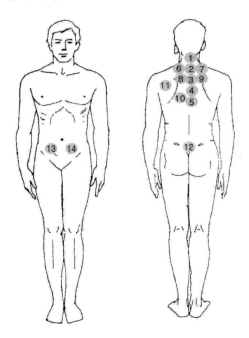

# 29. 불 감 증

남녀 다 있으나 일반적으로 여성을 말한다. 불감증은 육체적으로 오는 것과 정신적으로 오는 것이 있으며 치료는 그림과 같은 부위에 한다. 육체적인 원인은 1주일~1개월이면 되지만 대부분은 정신적인 원인이 많다.

치료는 여성 혼자 할 수도 있으나 가급적 취침 전에 배우자로 하여금 정성껏 치료를 해주도록 하는 것이 중요하다. 1~3개월 걸린다.

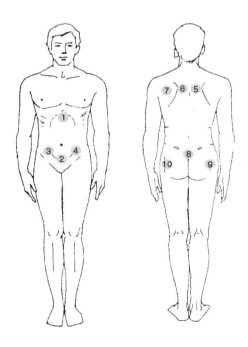

# 30. 불 면 증

불면증은 일시적으로 스트레스나 다른 질병에 의해서 잠을 못 이루는 경우도 있지만 보통은 만성적인 불면증을 말한다. 만성적 불면증은 호흡계통에 문제가 왔을 때도 있지만 대개는 예민한 성격, 흥분된 뇌신경이 안정되지 않는 정신과적 문제로 인해 육체는 피곤하고 졸리지만 정작 잠은 오지 않는 경우가 대부분이다. 잠이 들어도 오래 자지 못하고 한 번 깨면 다시 잠들기 힘든 경우가 많은데 쑥뜸을 하게 되면 효과를 볼 수 있다. 스트레스에 의한 일시적 불면증은 즉각 효과를 보지만 만성 불면증은 1개월~3개월 정도면 많은 효과를 볼 수 있다. 그림에서 ④~⑨를 집중적으로 하면 좋다.

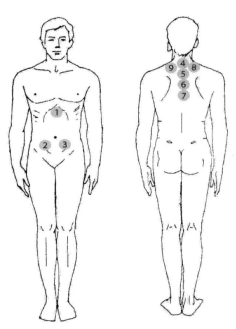

# 31. 불  임

불임의 경우도 맥박이 평소 안정 상태에서 100이 넘거나 체중이 많은 사람은 거의 선천적 불임이다. 불임은 홀몬계의 이상이 있는 경우는 1년 이상 쑥뜸을 해야 되고 자궁의 문제가 있는 경우는 3~6개월 정도 걸린다. 쑥뜸을 하면서 시험관을 하면 선천적 불임의 경우를 빼고는 임신이 수월해진다.

호르몬계의 이상이 있는 경우는 ⑤, ⑥을 자궁의 문제는 아랫배를 많이 하는 것이 좋다. 임신 후에도 쑥뜸을 계속할 수 있으며 늦은 출산이어도 자연분만이 가능해진다.

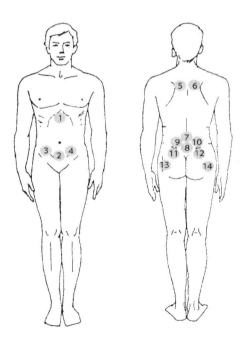

# 32. 비 만

비만은 크게 셋으로 나누어 생각할 수 있는데 첫째는 체질적(유전적) 원인, 둘째는 신장, 소장, 생식, 대장 등 장기의 기능이 약해졌을 때. 셋째로 포만감을 느끼지 못해 폭식과 과식을 습관적으로 할 때이다. 물론 많이 먹고 운동 안 하면 비만이 되지만 이는 운동을 하면 해결이 되므로 논외로 한다.

식사를 조절해도 운동을 해도 살이 안 빠지는 경우는 대개의경우 첫 번째와 두 번째의 경우인데 아래 그림대로 2∼3개월 정도 하면 많이 좋아진다. 세 번째의 경우는 불면증의 쑥뜸 자리도 병행해야 된다.

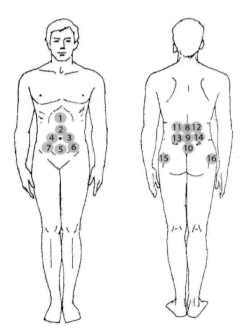

# 33. 비  염

비염은 감기, 신경계의 이상. 염증 등의 원인으로 생기는데 만성 비염이든 급성 비염이든 쑥뜸 자리는 같다. 알레르기성 비염도 포함한다.

그림에서 표시된 얼굴 안면부위(⑪, ⑫)는 부비동의 위치이며 콧등을 비롯하여 관련 부위를 쑥뜸 하는 것이고 귀밑(⑨, ⑩)은 눌러서 아픈 곳을 찾아서 쑥뜸 하면 되는데 부위는 삼차신경부위(삼차신경통 참조)이다.

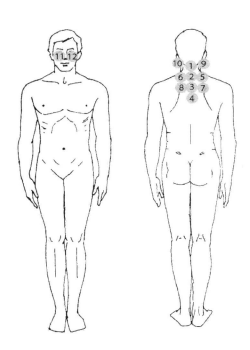

# 34. 빈 혈

　빈혈은 원인이 다양하므로 반드시 병원의 진찰을 통해 정확한 원인을 알고 그 원인에 해당하는 질병을 우선 치료하는 것이 좋다. 다양한 원인 중에서 백혈병으로 인한 빈혈은 쑥뜸이 안 좋을 수도 있으니 반드시 의사와 상의하여야 한다. 악성빈혈의 쑥뜸 부위도 같다.

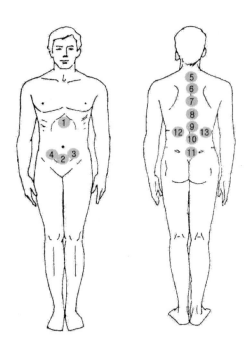

# 35. 삼차신경통

삼차 신경통은 귀밑의 삼차신경에 문제가 오는 질환으로
얼굴의 모든 감각신경을 담당하는 뇌신경이다. 여러 원인들
에 의해 삼차신경이 손상되어 발생하는데 통증이 갑자기 송
곳으로 찌르듯이 아픈 것이 특징이다. 위치는 귀 바로 뒤의
딱딱한 뼈 바로 밑이다. ①, ②는 자리가 삼차신경 자리이며
이곳을 반복적, 집중적으로 해주면 좋다.

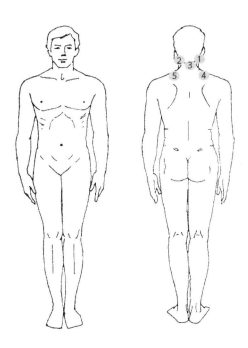

# 36. 생 리 통

　원발성 생리통은 초경 후에 발생하여 늦게는 40대까지 대부분의 여성에서 흔히 발생한다. 아래 그림은 원발성 생리통에 대한 쑥뜸 자리이며 다른 원인에 의한 생리통은 병원의 진단과 처방에 따른다.

　생리 시작 전 2~3일 전부터 쑥뜸을 하고 생리 기간 중에도 쑥뜸을 한다. 이렇게 3개월에서 6개월 정도 쑥뜸을 하면 생리통의 강도와 기간이 현저히 줄어들면서 나중에는 생리통에서 벗어날 수 있다.

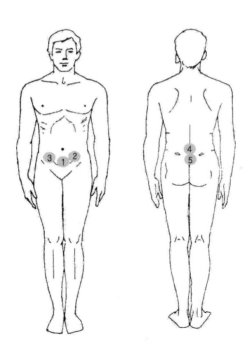

# 37. 성대결절

성대를 많이 사용하는 교사, 가수, 강사 등의 직업을 가진
분들에게 많이 나타난다. 성대를 무리하게 많이 사용하게 되
면 성대에 결절이 생기면서 목이 아프고 쉰 소리가 난다. 성
대사용을 자제하면서 더 이상 악화되는 것을 막아야 하고
화상에 주의하면서 아침저녁으로 쑥뜸을 하면 3일 전후로
좋아진다.

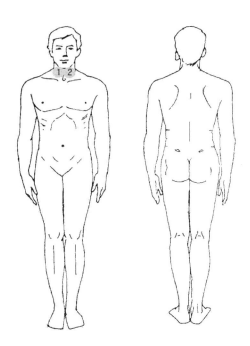

# 38. 소아경기

5~6세 미만의 소아가 일으키는 경우가 많다. 체질이 허약하고 신경이 예민해 일어나는 증상으로 일단 뇌에 마비를 일으키는 증세다, 그대로 두면 만성화되어 난치성 질환으로 유발한다. 약 2개월이면 좋아진다.

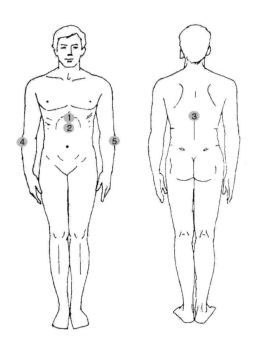

## 39. 소아편식

1~2개월이면 편식이 완전하게 사라지지만 조금씩 양을
늘려가며 혼식을 먹도록 하는 것이 평생 건강에 좋다.

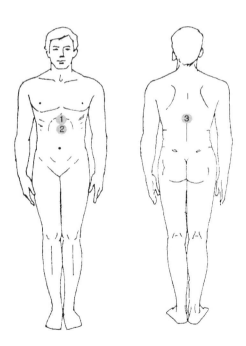

# 40. 소장장애

소장 장애는 저혈압, 빈혈, 냉배, 심장병 등의 원인이 되며 변비도 생기고 신장도 나빠진다. 여성의 얼굴이 검어지는 이유 중 80% 정도가 소장 이상이다. 또 한 가지 중요한 증상은 '적'이라고 부르는 병이며 뱃속에 딴딴한 부위가 생기는 것으로 그곳을 누르면 몹시 아프다. 또 다른 증상은 기억력 감퇴가 오며 조혈작용이 잘 안 되는 경우도 있다. 특히 물만 먹어도 살찐다는 사람들은 대부분 소장에 이상이 있다. 3개월 정도면 많이 좋아진다.

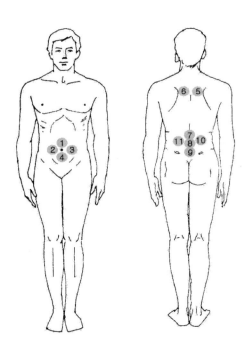

## 41. 손목터널 (수근관) 증후군

　다른 원인도 있을 수 있지만 대개는 손목을 많이 사용함으로써 손목으로 지나가는 신경이 눌려 손가락까지 저리거나 통증이 생기는 질환이다. ②가 가장 중요한 부위이고 ③~⑤의 부위는 저리거나 아픈 부위를 표시하였으나 위치는 본인이 불편하게 느끼는 부위에 쑥뜸을 하면 된다. ①은 수삼리에 해당하는 부위이다.

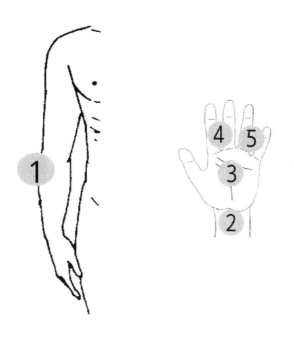

# 42. 수족냉증

　수족냉증은 남자보다는 여자에게서 더 많이 나타나는 질병으로 출산 후의 여성이나 중년여성에게 많으며 주로 예민한 성격에서 더 많이 나타난다.

　손이나 발의 말초혈관의 혈액순환장애로 나타나는데 수족냉증은 다른 질병과 증상이 유사한 경우가 있으므로 병원에서 정확한 진단을 받아 원인을 아는 것이 좋다. 치료는 아래 그림과 같이 하되 주로 하복부와 허리를 집중적으로 하는 것이 좋으나 호르몬의 변화나 정신과적 문제가 원인이라면 ⑫～⑮를 반드시 쑥뜸해야 한다.

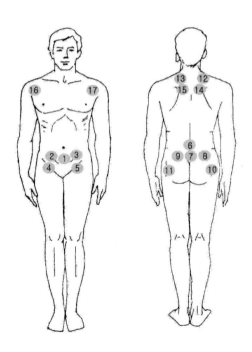

# 43. 신장질환

사구체신염, 신우신염, 신부전을 포함하는 쑥뜸 부위이다. 사구체신염은 자가면역질환이 원인이라면 자가면역 쑥뜸 부위도 병행해야 된다.

중요한 쑥뜸 부위는 신장이므로 신장부위를 집중적으로 쑥뜸을 하여야 한다. 신부전으로 진행된 상태라면 음식에 신경을 써야 한다. 쑥뜸 기간은 상당히 오랜 시간 하여야 하며 쑥뜸을 하면 신부전 진행을 늦출 수 있다.

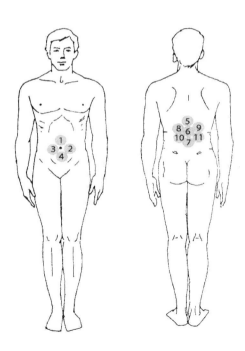

# 44. 심장질환

　심장 질환에는 여러 가지 종류가 있으나 여기서는 관상동맥질환(심근경색, 협심증), 판막질환, 심부전 등의 쑥뜸 부위를 설명한다. 단, 부정맥은 따로 부정맥 쑥뜸 부위를 참고하기 바란다.

　심장 질환 쑥뜸은 처음에는 너무 뜨겁거나, 오랫동안 하지 않고 가볍게 하면서 몸의 컨디션을 보면서 강도와 시간을 늘려서 하는 것이 좋다.

　심장질환 쑥뜸은 그림에 표시된 번호 순서대로 하는 것이 좋다.

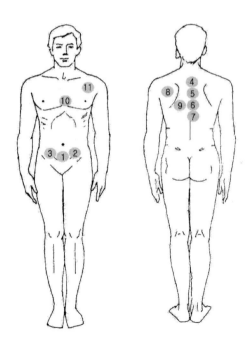

# 45. 십이지장염

십이지장염의 원인과 증상은 위염과 흡사하다. 십이지장 궤양의 쑥뜸 자리도 같다. 너무 자극적인 음식은 피하고 스트레스를 삼가는 것이 좋다. ①~③을 집중적으로 쑥뜸 한다.

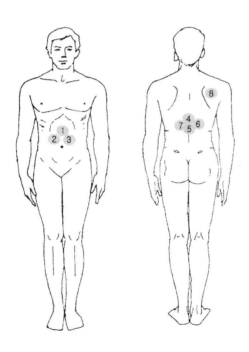

# 46. 아토피성 피부염

아토피는 유전, 체질, 환경, 음식 등이 원인으로 알려져 있는 알레르기성 질환이다. 아토피의 증상 중 가장 특징적인 것은 가려움증이다. 주로 어려서 발병을 하고 나이가 들면서 나아진다.

아래 그림의 쑥뜸 부위는 아토피성 피부염의 원인치료에 관한 그림이고 가려운 부위는 환부에 직접 쑥뜸을 하거나 가려운 환부에 쑥물을 발라주면 가려움이 완화된다.

가려움증은 주로 저녁이나 밤에 심하게 되는데 잠들기 전에 쑥뜸을 하면 많이 도움이 된다.

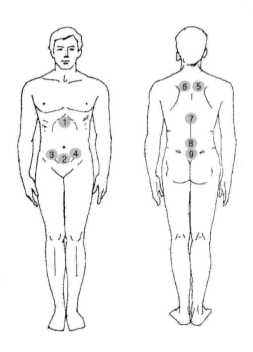

## 47. 안구건조증, 비문증

안구건조증은 눈물의 분비에 이상이 생기거나 눈물의 성분에 이상이 생겨 안구가 건조해지는 질병으로 눈이 뻑뻑하거나 안구가 타는 듯한 느낌이 드는 증상으로 그 원인은 다양하다.

비문증은 눈 안에 부유물이 떠다니는 느낌을 갖는 증상으로 쑥뜸 자리는 안구건조증과 같다. 처음에는 너무 뜨겁지 않게 따뜻한 느낌이 들 정도로 쑥뜸을 하고 차츰 강도를 높여서 쑥뜸을 하는 것이 좋다. 너무 세게 누르지 않도록 하고 한 번에 많이 하지 말고 시간 간격을 두고 여러 번에 나눠서 쑥뜸을 하도록 한다. 쑥뜸 시 눈에 너무 많은 압력을 가하지 않는 게 좋다.

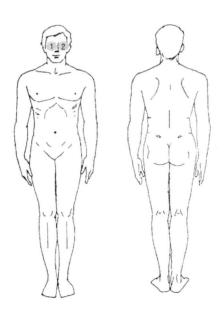

# 48. 안면마비

안면마비는 여러 원인에 의해 발생하지만 여기서는 특별한 원인이 없이 갑자기 발생하는 경우의 쑥뜸 자리를 표시한다. 안면마비는 발병한 지 3일 이내면 빨리 치료가 되지만 발병된 지 오래된 경우는 수개월이 걸리는 경우도 있다. 쑥뜸 시 주의사항은 마비가 온 곳에 쑥뜸을 하면 뜨거움을 모르기 때문에 화상을 입을 수가 있으므로 주의하여야 한다.

아래 그림은 왼쪽 오른쪽 마비를 모두 표시한 것이다. 오른쪽 마비라면 오른쪽만 하면 된다. ⑥, ⑦은 중요자리이며 귀밑의 눌러서 아픈 곳이다.

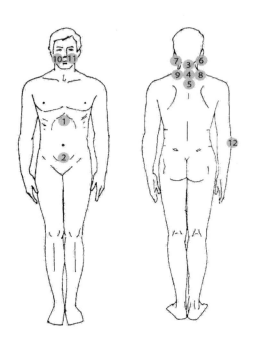

# 49. 알레르기성 체질

선천적 체질성과 후천적 체질성의 두 가지가 있는데 치료의 기본은 체질 개선 즉, 생체 기능을 높이는 것이다. 다시 말해 생체의 자연 치유력을 향상시켜서 면역 능력을 높이는 것이다. 보통 6개월~1년이면 치료가 되고 급성이나 초기 환자는 3~6개월 걸린다.

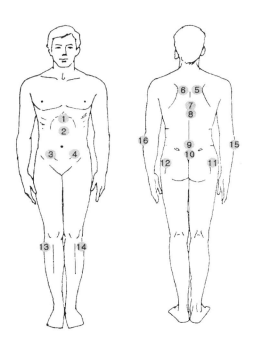

## 50. 암(癌)

　암은 종류도 많고 치료도 까다로운 질병이다. 각각의 개별적인 암은 문의를 하기 바라고 여기서는 소화, 배변, 수면, 통증, 면역력에 대한 전반적인 쑥뜸을 설명한다. 암은 하루 종일 치료에 전념해야 되는 병으로 그만큼 깊은 난치성 질환이다. 소화기계 암은 식사에 특히 주의해야 한다. 특히 육류나 튀긴 음식, 인스턴트 음식은 금해야 된다. 체중이 15～20kg이상 빠지면 치료가 쉽지 않다. 체중이 빠지지 않기 위해서 소화, 배변이 원활해야 된다. 소화에 도움이 되는 ① 부위를 꾸준히 해야 되고 배변의 문제가 있을 시에는 ②～④('변비'란 참조)를, 수면에 문제가 있을 때는 ⑤～⑪('불면증' 참조)을 쑥뜸해야 된다. 면역력은 ①～⑯을 모두 쑥뜸해야 되고 통증이 있을 때는 ⑤, ⑥, ⑨～⑯을 하면 된다. 특히 ⑤, ⑥은 쑥뜸을 강하게 하는 요령이 필요하다.(절대 화상을 입지 않게 해야 된다.) 쑥뜸을 꾸준히 하면 고통 없이 사망할 수 있다. 아래의 쑥뜸 부위는 암의 경중, 종류, 몸의 상태를 고려하지 않은 일반적인 부위설명이므로 필자에게 문의 하는 것이 좋다.

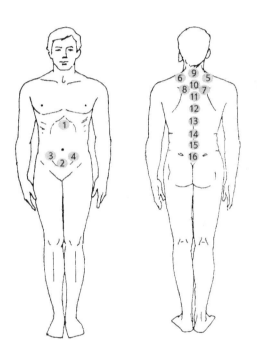

# 51. 야 간 뇨

　야간뇨는 밤에 수면에 방해가 될 정도로 자주 소변을 보는 것을 말한다. 여러 원인이 있을 수 있다. 다른 질병으로 인한 야간뇨는 기저질환의 치료가 우선이며 여기서는 야간뇨의 포괄적 치료를 표시하였다. 보통 일주일 이내에 효과를 볼 수 있다.

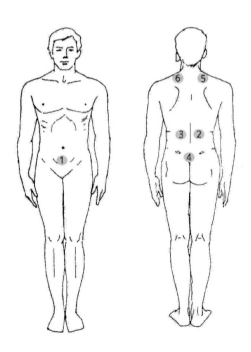

# 52. 야 뇨 증

대체로 어린이에게 많다. 신경계가 원인으로 배뇨감각이
실조를 일으키고 본인도 모르게 배뇨하는 경우이며, 치료를
해도 잘 안 듣는 것이 특징이다. 약 2개월이면 거의 치료된
다.

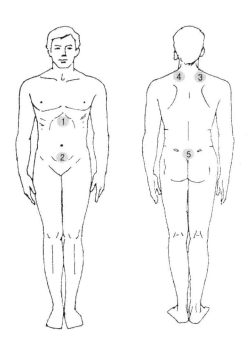

# 53. 어깨통증

어깨통증은 여러 원인으로 인해서 생기지만 보통은 회전
근개의 파열이나 석회화, 관절낭의 염증 등으로 통증이 발생
한다. 어깨의 힘줄이 완전히 파열된 것은 수술적 요법으로
치료를 하고 여기서는 그 외의 질환으로 어깨근육이나 힘줄
의 강화, 염증으로 인한 통증의 완화를 목적으로 한다.

쑥뜸 할 때는 어깨의 통증이 유발하는 자세를 취한 상태
에서 쑥뜸을 하면 효과가 빠르다. 손으로 눌러보면 아픈 곳
을 찾을 수 있는데 아픈 곳에 집중적으로 해야 효과를 볼
수 있다. 밑의 그림은 참고로 하고 관절의 아픈 곳을 찾아서
쑥뜸을 한다.

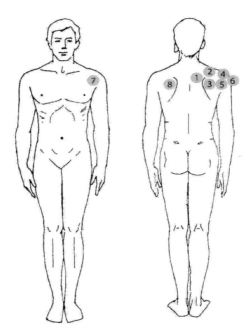

# 54. 여 드 름

여드름은 주로 사춘기 때 왕성한 호르몬의 분비와 관련이
있다. 성인에게서도 여드름이 생기기도 하지만 대부분 시간
이 지나면서 사라진다. 부작용으로 얼굴에 흉터가 남을 수
있으며 피부과에 가도 쉽게 치료가 되지 않는 특징이 있다.
여드름도 일종의 염증이기 때문에 염증 부위에 직접 쑥찜을
하면 좋아진다.

①, ②는 여드름 난 부위이며 여드름이 생긴 부위에 직접
쑥뜸을 한다. 쑥뜸을 하면 붉은색이 점차 엷어지면서 치료가
된다.

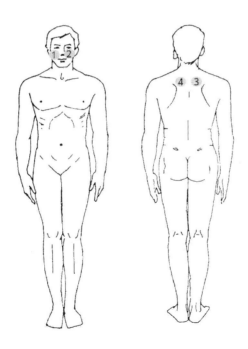

# 55. 염 좌

일상생활에서 흔히 겪는 사고로 발목, 손목, 무릎 등 관절 부위의 인대가 손상되는 것을 말한다.

아래 그림은 발목이 삐었을 때를 표시하였지만 관절의 어느 부위에서도 쑥뜸 방법은 동일하다.

환부를 집중적으로 쑥뜸 하면 붓거나 멍든 것이 현저히 가라 앉으며 하루 이틀이면 움직임에 불편이 없을 정도로 좋아진다. 환부가 괜찮아질 때까지 수시로 쑥뜸을 하면 빠른 시간에 제염이 되면서 좋아진다.

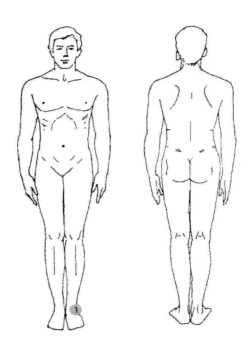

# 56. 요 도 염

요도의 염증으로 인한 가려움, 따끔거림의 증상이 있는 질병으로 남성, 여성 모두 해당되는 쑥뜸 자리이다.

요도염에 걸렸다면 우선은 병의원에서 정확한 원인을 검사받을 필요가 있다. 임질 등의 성병으로 인한 요도염은 병원에서 치료받는 것이 빠르다.

①은 요도자리이고 ②는 방광자리이다. ①을 집중적으로 쑥뜸 한다.

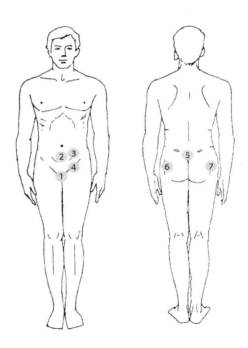

# 57. 요 실 금

　요실금은 출산여성에게 흔한 질병으로 자신도 모르게 소변이 흐르는 증상으로 방광과 요도의 복압을 견디지 못하거나 요도 괄약근의 기능이 떨어지면서 생기는 병으로 그림과 같이 하면 일주일이면 효과를 볼 수 있고 1~2개월이면 치료가 된다. ①은 방광위치고, ④는 천골위치다

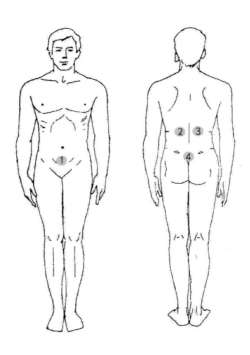

# 58. 우 울 증

　우울증은 우울한 기분이 지속적으로 생김으로써 정신적,
신체적으로 일상생활에 지장을 초래하는 질병으로 지속적인
스트레스, 충격적 사건 등에 의해 신경과 호르몬에 이상이
생기고 그로 인해 무기력해지고 입맛이 없고 수면에 문제가
생기는 등의 증상을 말한다. 증상의 경중에 따라 치료 기간
은 많이 차이 난다. 보통 3~6개월 정도면 좋아진다.

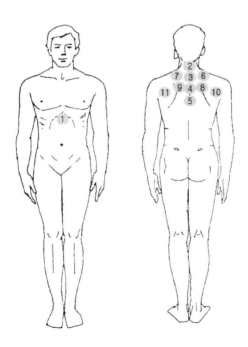

# 59. 위염, 위궤양

위염은 급성과 만성을 포함한다. 신경성 위염은 불면증 쑥뜸 자리를 병행하여야 한다.

위염과 위궤양의 공통적 증상은 명치끝의 통증이다. 손으로 눌렀을 때 통증이 오는데 ①을 집중적으로 쑥뜸을 해야 된다.

급성과 만성은 치료기간이 다르다. 급성은 2~3일이면 좋아지고 만성은 1개월~3개월 정도 걸린다.

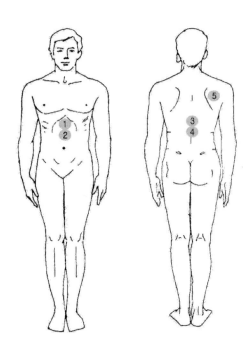

# 60. 임파선염

보통 목 옆, 겨드랑이, 사타구니에 많다. 먼저 환부를 일차 치료하고 난 뒤 그림대로 한다. 결핵성 임파선염은 증세에 따라 다르지만 합병증이 없을 때는 보통 6개월이 걸린다. 초기 증세나 가벼운 임파선염은 3개월이면 되고, 조그만 혹 같은 부분도 2~3개월이면 차차 없어진다.

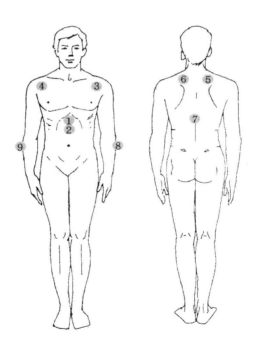

# 61. 자가면역질환

　자가면역질환을 겪는 환자는 거의 특이체질이라 할 수 있다. 면역체계의 혼란이 온몸을 공격하는 질환으로 체질을 바꾸려는 노력이 필요하다. 장기간 쑥뜸이 필요하며 자가면역질환으로 발생하는 다양한 질병(류마티스 관절염, 루프스, 크론병등)은 해당 병의 치료부위를 참고하고 여기서는 근본 원인인 면역체계를 바로잡는 쑥뜸 자리이다. 치료기간은 1년 이상이 걸린다.

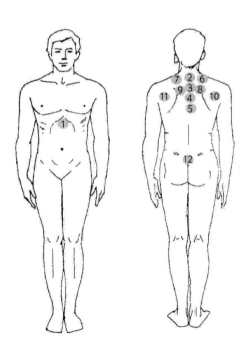

# 62. 자 폐 증

자폐증은 3세 이전에 쑥뜸 하는 것이 좋으며 나이가 들수록 치료기간이 늘어난다. 10세 이후에는 오랜 시간을 쑥뜸해야 된다.

아이들은 너무 뜨겁게 하지 않아도 되며 따끈한 정도로 해주되 너무 열이 없이 미지근하면 효과가 없다. 처음에 아이가 거부할 수 있으므로 너무 무리하게 하지 말고 쑥뜸과 친근해질 수 있도록 부모가 노력하는 과정이 필요하다.

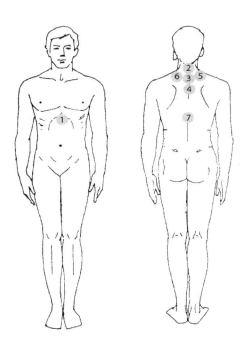

# 63. 저 혈 압

저혈압은 주로 심장질환이나 복부에 이상이 있는 사람이 많다. 자궁질환, 대장염, 복부수술 후유증, 아랫배가 찬사람, 그리고 선천적, 체질적인 저혈압 환자도 쑥뜸 부위는 같다. 저혈압으로 인한 빈혈(어지러움), 두통도 동시에 치료가 된다. 3개월~6개월이면 좋아진다.

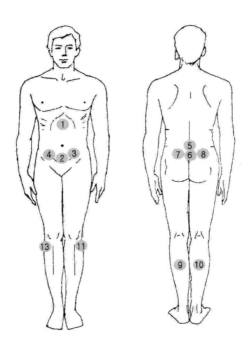

# 64. 전 립 선

전립선염, 전립선 비대증 등 전립선 관련 질병을 모두 포
함한다. 전립선암도 아래 그림과 같이 쑥뜸을 하지만 '암'
쑥뜸 부위란을 참조한다.

아래 그림에서 ⑨는 회음부를 표시한 것이며 모든 전립선
관련 질병은 이 부분을 집중적으로 쑥뜸을 해야 된다.

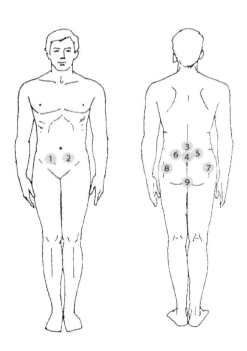

# 65. 정력감퇴

　남,녀 모두 해당되나 주로 남성의 경우에 해당한다. 정력 감퇴는 발기부전, 조루와 같은 생식기의 문제도 있지만 스트 레스에 의한 정신적인 문제에 의한 경우도 있다. 아래 그림 은 모두를 표시하였다. 보통 1~7일 정도면 효과를 보지만 당뇨에 의한 정력 감퇴는 당뇨를 우선 치료하는 것이 먼저 다.

　사람에 따라 효과를 보는 시간은 다르지만 꾸준히 하면 대부분 효과를 본다. ②~⑤는 스트레스에 의한 정신적 치료 부위에 해당된다.

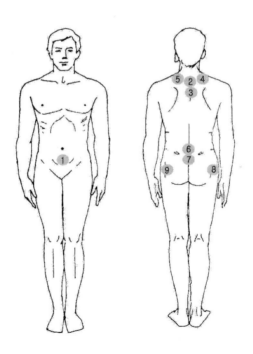

# 66. 조 현 병

정신분열증으로 환청, 망상, 빙의 등의 증상이 나타나는 정신병으로 치료가 쉽지 않은 질병이다.

폭력성이 있는 환자는 1년~3년 정도 시간이 걸리며 폭력성이 덜한 경우는 1년이면 많이 좋아진다.

정신과질환의 쑥뜸은 화상을 입지 않도록 주의하면서 뜨겁고 강하게 쑥뜸을 하면 효과가 더욱 좋다.

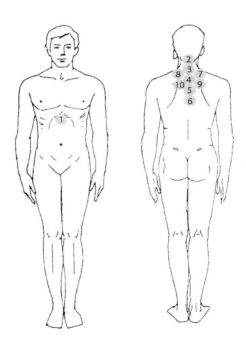

# 67. 좌골신경통

　좌골신경통은 엉덩이 부분의 신경(좌골신경)이 손상을 받아 허리에서 다리, 발까지 통증이 생기거나 저린 증상을 말한다.

　아래그림은 오른쪽으로 통증이 왔을 때를 가정하여 표시하였으나 왼쪽으로 왔을 때는 왼쪽을 쑥뜸 하면 된다.

　①. ②는 요추와 천골이고, ④는 좌골신경, ⑤는 고관절을 표시하였다.

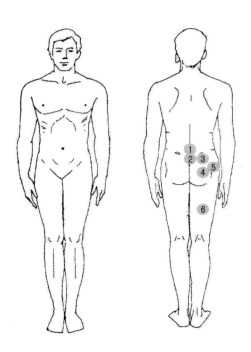

# 68. 중 이 염

중이염은 중이라는 귀의 안쪽의 기관에 생기는 염증이다. 중이염 환자는 대체로 만성이 많다. 고름이 나오고 아픈 것이 보통이다.

아래 그림에서는 오른쪽 귀를 표현한 것이다. ①은 귀에다 직접 쑥뜸 하는 것이고 ②는 귀 아래 눌러서 아픈 부분이다. 그림대로 쑥뜸 하면 급성이면 일주일정도, 만성이라도 3개월 안에 좋아진다.

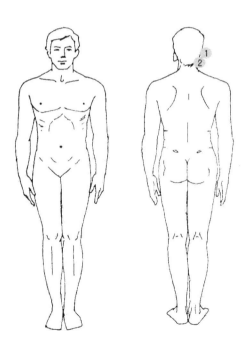

## 69. 쥐 (국소성 근육경련)

일반적으로 다리에 쥐가 났다고 표현하는 국소성 근육경련은 발생빈도와 발생부위에 따라 쑥뜸부위가 달라진다. 원인은 여러 가지가 있다. 요추신경, 고관절 등의 신경에 이상이 생겼을 때, 당뇨 등의 다른 질병이 있을 때, 무리한 운동 등 원인은 다양하다. 발생위치도 발, 종아리 허벅지등에 나타난다. 다른 질병에 의한 증상은 질병치료가 우선이고, 여기서는 국소성 근육경련만을 표시하였고 ①. ②. ③~⑧은 기본부위이고 ⑨~⑫는 발생부위에 쑥뜸을 하면 된다.

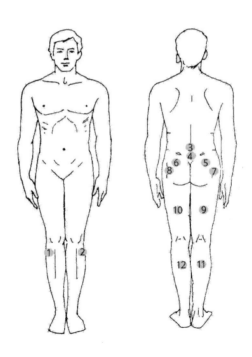

# 70. 천   식

천식은 알레르기 증상의 일종으로 기관지 내에 과도한 점막이 생김으로써 기관지가 좁아지는 증상으로 호흡중추신경이 잘못되어 오는 것으로 생각한다.

천식은 보통 1개월~3개월이면 많이 좋아지고 6개월 정도면 상당히 좋아진다. 소아의 경우는 더 빠르다.

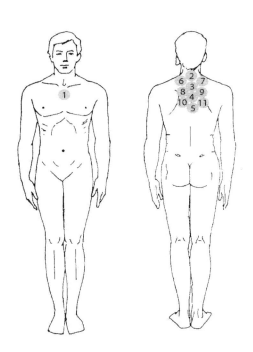

# 71. 췌 장 염

   심한 복통과 함께 얼굴은 백지장과 같이 되고 식은땀을 뻘뻘 흘리며, 구토, 발열을 한다. 배 왼쪽 윗부분과 왼쪽 등이 아픈 것이 특징이다. 급성과 만성으로 나뉘는데 아래 쑥뜸 그림은 모두 해당된다.

   만성은 빈혈, 소화불량, 현기증이 오고 급성은 같은 부위에 통증이 온다. 초기에는 1개월 정도 걸리며, 오래되었을 경우 3~4개월 이상 쑥뜸을 해야 된다.

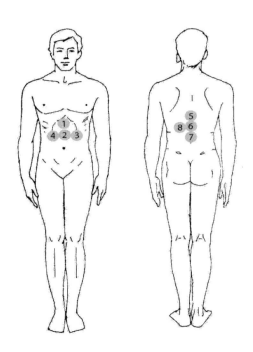

# 72. 치질, 치루

치질과 치루는 원인과 증상이 다르지만 쑥뜸 방법은 같다. 치질의 경우 숫치질은 항문만 집중적으로 해도 많은 효과가 있지만 암치질의 경우는 꼬리뼈와 배를 같이 해줘야 한다. 치질이 심할 경우 통증이 찌르듯, 찢어지는 느낌이지만 쑥뜸을 할수록 통증은 둔탁한 느낌이 들고 항문의 덩어리는 작아지는 느낌이 드는데 이는 좋아지고 있다는 증거이다. 항문 부위를 집중적으로 해주면 좋다. (단방으로 쑥뜸하는 질병 참조)

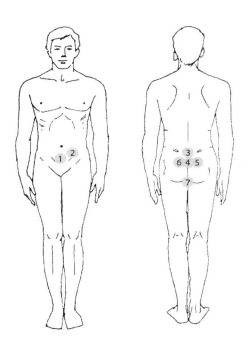

## 73. 코골이, 수면무호흡증

코골이, 수면 무호흡증은 쑥뜸 자리가 같다. 기도를 관장하는 신경에 문제가 되어 인후조직이 좁아지면서 호흡에 장애를 일으키고 시간이 지나면서 여러 질병을 일으키는 요인이 되기도 한다. 1~2주 정도면 많이 좋아진다. 완치가 될 때까지 꾸준하게 쑥뜸 하는 것이 중요하다.

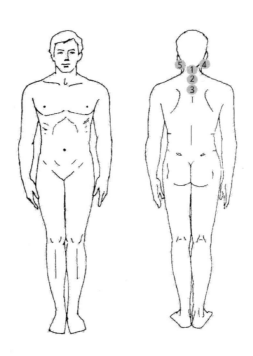

# 74. 탈 모

　탈모의 원인은 내분비선의 이상으로 호르몬의 변화와 관계가 있고, 대체로 알레르기성 체질이며 신경쇠약 현상이 따르기도 한다. 쑥뜸 기간은 1년 이상 꾸준히 하여야 하며 원형탈모도 쑥뜸 자리는 같다. 쑥뜸을 하면 머리털에 힘이 생기고 모근이 튼튼해져서 탈모 현상이 먼저 없어진다. 아래 그림에서 ⑫는 탈모부위를 가리킨다.

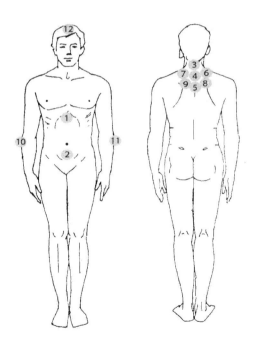

# 75. 통 풍

　통풍은 바람만 스쳐도 아프다고 해서 통풍이라 한다. 주로
요산이 몸에서 배출되지 않고 쌓이면서 관절에 통증을 유발
하는데 주로 엄지발가락에 많이 발생하지만 우리 몸에 어디
든지 발생할 수 있는 질병이다.
　통풍은 쑥뜸으로 비교적 빠른 효과를 보는 질병에 해당되
는데 먼저 아픈 곳을 집중적으로 해주고 아래 그림과 같이
해주면 보통 1주일~1개월 정도면 좋아진다.

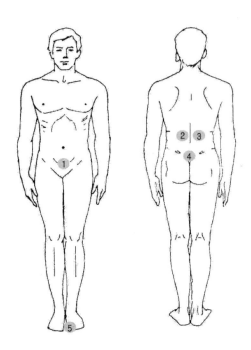

## 76. 팔꿈치 통증 (테니스엘보, 골프엘보)

　팔꿈치 통증은 외측통과 내측통이 있는데 이를 보통 테니스엘보, 골프엘보라 한다. 과다하고 반복적인 운동으로 인한 힘줄의 손상으로 심하면 손목까지 통증이 전해지고 일상생활이 불편해진다. 쑥뜸 자리는 아픈 곳 한 곳인데 쑥뜸 시 요령이 필요하다. 처음에는 전체를 감싸듯이 쑥뜸 하지만 쑥뜸을 할수록 통증의 강도는 줄어들고 통증부위도 줄어든다. 완전히 통증을 없애기 위해서는 가장 아픈 곳을 손으로 눌러가며 찾는데 누르는 각도에 따라 미세하게 통증의 변화가 있다. 가장 아픈 곳을 찾고 그곳을 집중적으로 쑥뜸 해준다. 화상을 잘 입는 곳으로 환부를 충분히 불어주고 만져주어 열을 식히면서 쑥뜸을 반복한다..

　팔꿈치 내측, 외측 모두 같은 방법으로 쑥뜸을 한다. 보통 일주일에서 열흘 정도면 많이 좋아진다.

# 77. 패 혈 증

패혈증은 세균에 감염된 장기에 의해 전신 염증 반응을 일으키는 질환으로 응급으로 병원을 찾아가는 것을 권장한다. 다만 그렇지 못한 상태일 때 쑥뜸 부위를 설명한다. 아래 그림은 원인 장기(폐렴, 신장염, 복막염, 피부 감염 등)를 배제하고 전신의 염증을 가라앉히는 쑥뜸 부위이고 원인 장기가 있으면 그곳도 쑥뜸해야 된다.

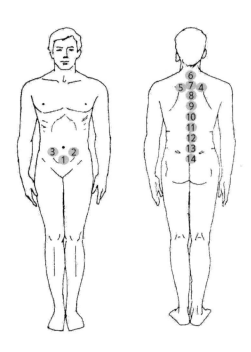

# 78. 편도선염

편도선염은 몸에 면역력이 떨어졌을 때 발병한다. 목이 아
프고 음식을 삼키기 어려우며 고열이 나는 경우도 있다. 근
본 원인인 면역력증가는 아랫배와 척추를 쑥뜸 해주면 좋다.
여기서는 편도선의 염증을 제염하는 쑥뜸을 아래 그림에 표
시하였다.

①은 염증이 있는 편도 부분을 표시하였고 아픈 부위를
집중해서 쑥뜸 해주면 좋다.

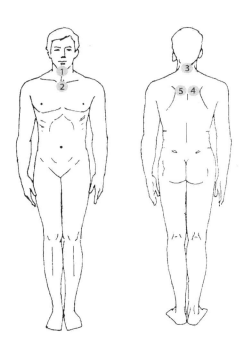

# 79. 폐 질 환

　폐에 관한 모든 질병을 포함한다. 폐결핵, 폐쇄성 폐질환, 기흉, 폐렴, 폐 섬유증 등 모든 폐질환은 아래 그림과 같이 쑥뜸을 하면 된다.

　아래그림은 만성과 급성에 모두 해당한다. 치료기간은 병의 종류, 병의 경중, 합병증에 따라 상당히 차이가 나지만 염증성(폐렴)은 빠른 편이다. ⑫, ⑬은 어깨와 가슴사이 움푹 파인 부분이다.

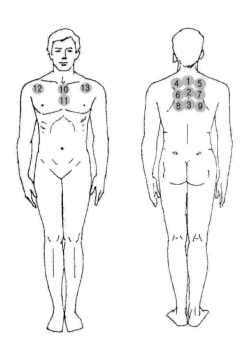

# 80. 피 부 병

　피부병은 두통만큼이나 원인이 다양하다. 한 가지 원인이 아니기 때문에 병원에서 진찰을 받아 정확한 원인을 찾는 것이 중요하다. 혈액, 신경, 내분비등에 의한 비세균성 피부병에 한하여 아래의 그림을 참조한다.

　치료기간은 원인에 따라 상이하기 때문에 쑥뜸을 하면서 판단해야 된다. 아토피질환은 별도로 표기하였으니 참고하기 바란다. 무좀균에 의한 피부병은 환부에 쑥뜸을 해도 잘 치료가 되지 않는다. 무좀의 근본치료는 '대장염' 쑥찜부위를 해주면 도움이 된다.

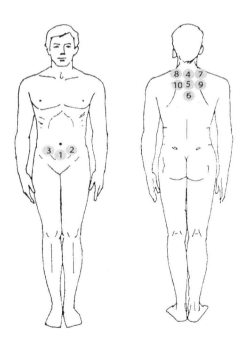

# 81. 하 지 통

주로 무릎이 차가우며 다리가 아프고 정맥혈관이 붓는 수가 많다. 일종의 하체 순환장애이며, 때로는 관절염도 겸해서 오는 경우가 있고, 여성에게는 산후 후유증의 경우도 많다. 하체 중 아픈 부위를 먼저 하고 그림 순서대로 한다.

하지불안증으로 인한 하지통은 '편도선염'란의 ④, ⑤를 같이 해주어야 한다.

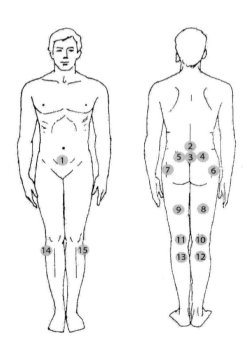

# 82. 해 열

발열증상은 감기나 바이러스에 의한 감염, 급성 염증이 원인이 되는 경우가 많다. 급성폐렴, 위염, 장염, 신장염, 타박상, 편도선염의 경우는 해당 질병을 치료하는 것이 우선이며 아래 그림은 일반적인 뇌중추에 문제가 오는 경우(감기, 바이러스)에 해당한다.

발열과 오한의 주요 원인은 뇌기능의 이상이며 내분비도 원인이 된다. 어린이의 경우는 ①과 ④만 해주어도 된다.

위와 같이 쑥뜸을 해도 열이 내려가지 않으면 반드시 병원을 가서 정확한 원인을 찾아야 한다.

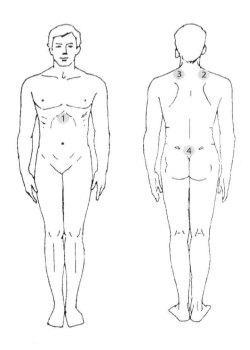

# 83. 허리 디스크, 협착증

추간판 탈출증, 요추관 협착증이라고도 한다. 요통을 포함한 허리통증과 관련된 모든 질병이 해당된다.

거의 모든 원인이 척추에서 나오는 신경이 눌려서 허리통증을 유발하고 심하면 다리까지 저린 증상을 겪는다.

아래 그림은 허리통증뿐 아니라 다리까지 저린 증상까지 표시하였으나 다리에 저린 증상이 없다면 ③~⑥까지만 하면 되고 다리까지 저릴 경우 왼쪽이 저리면 ⑧, ⑩을, 오른쪽이 저릴 경우 ⑦, ⑨를 쑥뜸하면 된다. 허리디스크, 협착은 치료 기간이 경증과 중증의 정도에 따라 크게 차이가 난다. 7일 이내에서 6개월 이상까지 치료기간이 다르다.

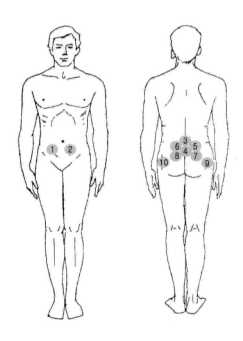

# 84. 허약체질

  허약 체질의 특징은 특정한 병을 가지지 않고도 항상 소화불량, 감기몸살에 자주 걸리며 저항력이 약해 매사에 무기력한 체질을 말한다. 남녀노소 연령에 관계없이 1년 이상 계속하면 체질 개선과 아울러 저항력이 커진다.

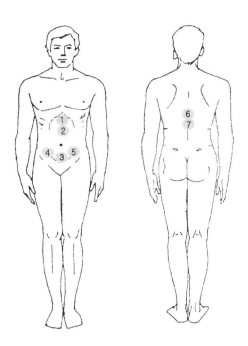

## 85. 화 병

  화병은 한국인에 주로 생기는 일종의 정신과 질환에 속한
다. 화병은 지나친 자기감정의 억제가 상당기간 오래 지속되
면서 자율신경과 호르몬의 이상이 생김으로써 다양한 증상으
로 나타나는 질병이다.

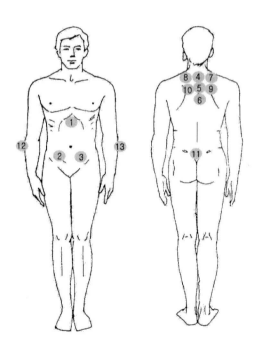

## 86. 흉 터(수술, 화상)

수술흉터, 화상흉터에 모두 해당한다. 수술흉터는 실밥을 뽑지 않은 상태에서도 가능하다. 쑥뜸 부위는 해당 흉터가 있는 곳에 직접 하면 된다. 실밥이 있는 상태에서는 너무 뜨겁지 않게 따뜻한 느낌으로 해주고 이미 실밥을 뽑은 상태라면 일반적으로 쑥뜸 하듯이 하면 된다. 수술 흉터는 수술 후 빨리 할수록 흉터가 사라지는 시간이 빠르다.

수술흉터가 오래됐거나 화상흉터인 경우는 시간이 조금 걸릴 수 있다. 이때는 환부에 직접 쑥뜸을 하기 전에 피부를 살짝 스크래치를 내주고 하면 더 효과적이다. 거친 때수건이나 피부숍에서 쓰는 니들을 이용해 주면 좋다. 피부는 손상을 받으면 복구를 하게 되는데 응급적으로 복구를 하는 과정에서 흉터처럼 비정상적 피부를 형성하게 된다. 이를 이용하여 피부에 스크래치를 내주면 피부 재생 시 정상적 피부로 재생이 되면서 흉터가 없어지게 되는데 이 역할을 쑥뜸이 하게 되는 것이다.

그림은 별도 표시하지 않았다.

## 87. 단방으로 쑥뜸하는 질병

쑥 한방으로 치료하는 질병은 주로 국소적인 통증을 유발하는 질병들이다.

치질. 족저근막염, 벌이나 모기에 쏘였을 때, 손가락 관절염. 티눈 등으로, 이런 질병은 부위만 다르고 치료 방법은 동일하다. 그래서 이런 질병들만을 모아서 설명하고자 한다.

① 치질

질병별 쑥뜸부위의 '치질'란에 설명하였으나 여기서는 쑥뜸방법에 대한 좀더 자세한 설명을 설명하고자 한다. 치질 쑥뜸은 약간의 요령이 필요하다. 외항문에 직접 쑥뜸을 할 때 항문 주위를 십자방향으로 눌러 보아야 한다. 항문은 관으로 되어 있기 때문에 항문전체 혈관의 문제가 아니고 국소적으로 특정부위에 문제가 생기는 것이다.

항문을 기준으로 위, 양옆, 아래를 손으로 눌러본다. 그중 가장 아픈 곳을 찾아서 그곳을 집중적으로 쑥뜸을 하는데 만약 오른쪽 부위에 통증이 있으면 그곳을 누를 때 위쪽 방향인지 아래쪽 방향인지도 점검해야 한다. 위쪽으로 눌렀을 때 더 아프다면 쑥뜸을 할 때도 그 방향으로 향한 상태로 눌러야 한다. 한번 쑥뜸을 할 때 4~5번 정도 연속해서 한다. 한번 쑥뜸하고 다음 쑥뜸할 때 환부를 충분히 식혀준 다음에 쑥뜸을 이어서 한다.


## ② 족저근막염

주로 발바닥 안쪽 깊숙한 곳의 근막에 염증이 생긴 것으로 병원에 가도 쉽게 낫지를 않고, 많이 좋아진다 해도 뿌리까지 뽑기가 쉽지 않다. 손으로 눌러보면 안쪽 깊숙한 곳에 통증이 있기 때문에 쑥봉을 크게 만들어서 한다. 쑥봉의 바닥지름이 3cm 이상 크게 만들어서 하는 것이 좋다.

손으로 눌러 쑥뜸을 해도 괜찮지만 발로 눌러서 쑥뜸을 하면 열이 더 깊이 전달되어 효과가 좋다. 한번 할 때 5번 정도 한다. 화상에 주의하면서 환부를 충분히 불거나 손으로 만져 식혀주면서 해야 한다.


## ③ 다래끼 (맥립종)

세균에 감염된 것이 원인이다. 다래끼가 난 부위에 쑥뜸을 하므로 크기는 다래끼를 덮을 정도면 된다. 보통 쑥봉 지름이 2cm 전후면 된다. 눈 부위에 직접 하므로 너무 세게 누르지 않게 조심하면서 쑥뜸을 하고 쑥뜸 횟수는 3번을 넘지 않도록 한다. 눈을 계속해서 누르면 눈에 압력이 가해지기 때문에 눈이 아플 수 있기 때문이다. 오전 오후로 시간 간격을 두고 하는 것이 좋다.

④ 벌이나 모기에 쏘였을 때

벌이나 모기에 쏘였을 때 쏘인 자리에 바로 쑥뜸을 하면 바로 제독이 되면서 괜찮아진다. 쑥뜸을 하면 가렵지 않아서 긁지 않게 된다. 한 번만 쑥뜸해도 되고 크기는 2cm 미만이어도 된다.

⑤ 손가락 관절염

퇴행성 관절염인 경우에 해당된다. 류머티스 관절염은 '질병별 쑥뜸부위'를 참고한다. 손가락 마디가 아파오는데 손가락 한두 개가 아플 수도 있고 여러 개가 아플 수도 있는데 방법은 같다. 손으로 눌러 가장 아픈 부위를 찾아 쑥뜸을 한다. 손가락 마디의 양옆에도 쑥뜸을 해주면 효과가 더 좋다. 화상만 입지 않도록 주의하면 횟수는 많이 할수록 좋다.

⑥ 티눈

발바닥에 생기는 굳은살의 일종으로 뿌리가 있어 감각신경을 건드리면 통증이 유발된다. 한두 번 쑥뜸으로 금방 낫지 않는다. 티눈이 생긴 부위에 집중적으로 쑥뜸을 한다. 한 번 쑥뜸 할 때 3회 이상 쑥뜸을 한다. 쑥뜸을 할수록 통증이 완화된다.

상기 설명한 질환 외에도 단방으로 쑥뜸을 할 수 있는 질
환은 모두 해당된다.

# 맺음말

모든 환자들이 소망하는 것은 약 한 알, 주사 한 방으로 내 병이 완치되는 것일 것이다. 하지만 세상에 그런 경우는 드물고 그런 일은 나에게 일어나지 않는다.

현대의학이 발전을 거듭하고 있는 요즘에도 병을 완치할 수 있는 분야는 많지 않고 그렇기 때문에 병원에서 처방받은 약으로 질병의 고통에서 벗어나지 못하고 하루하루 버티는 환자들도 부지기수이다.

내 의지와 노력으로 내 병을 고칠 수 있다면 그것은 새로운 희망이 될 것이다. 질병의 고통이 클수록 생활의 질은 떨어지게 마련이고 삶은 더욱 괴롭기 때문이다.

최재충 박사는 "인간에게 있어 불행한 것은 천재지변이고 그보다 더한 불행은 전쟁이며 그보다도 더한 불행은 가정 파괴이다. 그리고 가장 큰 불행은 자기 포기이다."라고 말씀하셨다.

자기 포기의 원인 중 많은 사람이 건강을 잃고 회복할 수 없는 절망에 빠졌을 때 일 것이다. 그렇기 때문에 질병은 반드시 극복해야 되는 것이다. 인간은 자유의지 대로 살아야 하는 권리가 있고 그 권리를 누리는 가장 큰 원동력은 바로 건강인 것이다.

'고마쑥뜸요법'은 건강을 잃고 희망을 잃은 사람에게 스스로 병을 고칠 수 있는 새로운 희망이 되길 소원한다. 필자도 과거에 질병으로 인한 힘든 생활이 있었지만 그것을 극복할 수 있었던 것은 바로 쑥뜸이었다.

쑥으로 자가 치료하는 고마쑥뜸법을 알리기 위해 나름대로 노력을 기울여 왔으나 널리 보급되지 못한 것이 안타까워 좀 더 많은 사람들에게 알려지기를 바라는 마음으로 이 책을 집필하게 되었다. 이 책이 스스로 자신의 질병을 고치는데 도움이 된다면 더할 나위 없이 기쁘겠다.

본 책의 내용은 이미 모든 이론과 임상을 담은 최재충 박사의 '흔의학 총론', '인체구조론'의 범위를 벗어난 것이 없으며 다만 20여 년 동안 많은 사람들에게 쑥뜸을 알리면서 느끼고 경험한 내용을 추가하였다.

글로써 표현하지 못하는 부분이 많아 앞으로 다양한 방법을 통하여 고마쑥뜸을 보급할 계획이다. 많은 사람들과 함께 고민하며 더 좋은 쑥뜸법을 찾아가기를 고대한다.

2024년 2월

고마쑥뜸 문의
010 5864 0571   최비오

**발 행** | 2024년 2월 20일
**저 자** | 최비오
**펴낸이** | 한건희
**펴낸곳** | 주식회사 부크크
**출판사등록** | 2014.07.15.(제2014-16호)
**주 소** | 서울특별시 금천구 가산디지털1로 119 SK트윈타워 A동 305호
**전 화** | 1670-8316
**이메일** | info@bookk.co.kr

**ISBN** | 979-11-410-7267-4